女同士と　ないでしょと言い張る
女の
ARIOTO
onnadoushitoka ARIENAIDESYO to
iiharuonnanoko wo hyakunichikan de TETTEITEKINI otosu yuri no ohanashi
百日間で徹底的に落とす百合のお話
3

絢ちゃん今日からうちに泊まってくれるって
鞠佳もいいわよね？
…………えっ？
はい 私が鞠佳さんを守ります
ぎゅっ
……ええええええ!?
こんにちは鞠佳です
ひょんなことから絢と一週間同棲(？)することになりました……。

でも同棲ってことは…
ガチャ
おかえり鞠佳
ご飯できてるよ
お風呂沸いたけど一緒に入る？
※全て鞠佳の妄想です

当然
パチン
夜はこれからだよ？
ちょっ
ドキドキ
いやいや
何考えてんのあたし～～!!
ぱっ
ぱっ
いくらあの絢でも人の家で手出ししてきたりしないでしょ…
でも…絢だからなあ！

鞠佳 おやすみ
よ、よーし 来るなら来い！
ん。おやすみ 絢
来い…！
しーーん
来い…！
寝よ
ごそ
……
……ん？
んんんんん…！？
がばっ
ほんとに 何もしてこない…！
一つ屋根の下 二人きりなのに!?
同棲一日目 あたしの夜は 長かった——

12.25. Aya's Birth Day - BAR
ふたりだけのお誕生日会。
きょうだけは客と店員じゃなくて、
恋人同士——

目次
〔もくじ〕

ARIOTO

onnadoushitoka ARIENAIDESYO to iiharuonnanoko wo hyakunichikan de TETTEITEKINI otosu yuri no ohanashi

プロローグ …… 3

第一章 …… 33

第二章 …… 59

第三章 …… 145

第四章 …… 209

エピローグ …… 253

書き下ろし短編
百日間で徹底的に落とされた女の子に、決して手を出さないと誓った女の子のお話 …… 276

女同士とかありえないでしょと言い張る女の子を、百日間で徹底的に落とす百合のお話3

みかみてれん

GA文庫

カバー・口絵　本文イラスト

雪子

プロローグ

ARIOTO

onnadoushitoka ARIENAIDESYO to iiharuonnanoko wo hyakunichikan de TETTEITEKINI otosu yuri no ohanashi

　十二月に入り、秋物シーズンは買った服を三度着回す前に過ぎ去ってしまった。お楽しみの冬休みまでは秒読みで、されど立ちはだかるのは期末テストという名のお邪魔虫《じゃまむし》だったりする。

「日本の四季ってさ、おしゃれの楽しみはあるけど、四季ごとにカラーバリエーションモデルがあったりしてさ。三ヶ月しか着ないような服を毎年買い増してくのって、なんかこう、冷静に考えると、人間ってなにやってんだろ、みたいな気分になるよね」

「私はおしゃれな鞠佳《まりか》、好きだよ」

　夕焼け差し込む窓の外を眺めながらぼやいた言葉に、テーブルを挟んで向かい側に座る絢《あや》があまり意図の伝わってない感じの返事を返してきた。まあね。あたしも猫や犬みたいに、一年中同じ毛皮スタイルなんて、飽きちゃうだろうけどね。

　学校帰りに寄った絢の部屋は、効きのいい暖房ががんばってて、ますます居心地《いごこち》がよく、家に帰ることがめちゃくちゃ億劫《おっくう》になりそうだ。うん、外は寒そう。

　セーラー服のスカートに包まれた足を伸ばして座るあたしは、テーブルの上にあった答案用紙に視線を落とす。榊原《さかきばら》鞠佳の名前の右横には、燦然《さんぜん》と輝く89の数字。今回の数学の平均点が63点だったことを鑑《かんが》みれば、誰《だれ》がどう見たって好成績間違いなし。

学校が好きなあたしは、学校での地位向上のための努力は怠《おこた》らない。今どきは勉強ができることも、立派なステータス。あたしはこれまでさんざん言ってきた通り、ソツなく器用な勉強できる系女子でもあるのだ。

であるのだけど……。

不破《ふわ》絢と書かれたテスト用紙がある。そこには、冗談めいた三桁《さんけた》。

満点である。

笑っちゃう。満点て。笑えない……。

89点と満点は、点数自体は11点差だよ。だけどさ、例えば１００問の問題に89個答えられたら89点だけど、１００点を取るためにはそれこそ１２０個の問題を解ける力だとか、２００個の問題を解ける力が必要なんだよ。もちろんケアレスミスのひとつすら許されないわけで。この圧倒的な実力差。そりゃ途方《とほう》にも暮れますってば。

つまりは、だ。

あたしの眼前でさも自分は普段どおりの実力を発揮しただけですけど？　みたいな顔で澄まして座ってるこの女は、顔もよければスタイルもよく、運動神経もよくて武道やってて、さらに頭脳まで超優秀なことが証明されてしまったわけ。

これが、この女が不破絢ですよ……。

夕焼けに照らされた髪はそのまま陽《ひ》の光を編んだみたいに暖かくて優しい色をしてる。どこか隙《すき》がある眠たげなエメラルドの瞳《ひとみ》はとろんとして、絢のもつ雰囲気を甘く彩《いろど》ってた。全体的に、生きて動いてることが信じられないような人形めいた綺麗《きれい》さを秘《ひ》めながらも親《した》しみやすい部分があったりするのは、その目のせいなんだろうなって思う。

っていうか、隙ですら自分の魅力に変換しちゃってるとか、もう敵なしで無敵じゃない？　さすがにずるくない？　ひとつぐらいあたしにくれてもよくない？　ってなる。主《おも》に学力とか。

絢の身長は１６３センチ。体重はこないだ聞いたらあたしより割とあったんだけど、このご時世、単純な数値の上下なんて意味なし。軽くてぽちゃっとした脂肪と、重くてシュッとした筋肉によって作られたスタイル。大事なのはさあどっち、というわけで絢のウエストはあたしよりずっと細く、そして胸は大きい。もうだめだばかじゃないの。

あたしは両手をあげて降参した。

「いいよ、いいよ、わかりましたよ！　認めるし！　あたしの負け！」

「鞠佳がみとめようと、みとめまいと、負けは負けだよ」

「そうだけど！　そうじゃないかもしれないじゃん！」

これ以上あたしを追い詰めてなにが楽しいのか、絢はくすくすと微笑《ほほえ》んでいる。形のいい口元を人差し指で撫《な》でる仕草《しぐさ》は、同性のあたしでも思わずドキッとしちゃう。

絢のピンク色の唇って、リップじゃなくてふつーに自前なんだよね。いっつもつやつやだし、秘訣《ひけつ》があるなら教えてほしい。それとも魔女に魂でも売ったのか。

「私は五教科で４７４点。ちなみに、鞠佳は？」

「４２１点ですけど！」

「どっちが上？」

「あたしの前に座るドSバリタチだよ！」

絢は嬉《うれ》しそうに笑った。ちくしょうが。

「お利口《りこう》さん、よくできました。ていうか鞠佳、ほんとに勉強できるんだね。たぶんクラスで二番目ぐらいじゃないかな。すごいすごい」

「クラスで後ろから二番目でもいいから、絢に勝ちたかったー！」

頭を抱えて叫んでると、隣にやってきた絢がぽんぽんと頭を撫でてきた。

「うう、タイでは子どもの頭をむやみに撫でちゃだめなんだぞー……」

「あれってよくガイドブックにのってるけど、実際はむやみに叩《たた》いたりしなければ、そんなことを気にしてるひと、ほとんどいないらしいよ」

雑学ですら上を行かれた。もうあたしに勝てるものはなにもない。このまま敗北感の海をたゆたって貝にでもなりたい。

「だいじょうぶだよ」

適当な気休めに、言葉のウニでも投げつけてやろうかと思って顔をあげると、すぐ隣に鼻筋の整った絢の顔があった。

うおっ、と身を引くあたしをゆっくりと追いかけてくる絢。あっという間に距離がゼロになって、唇にはホームメイドのクッキーみたいな柔らかな感触がした。目をつむる暇《ひま》すらなかった。

キスをしてきた絢は、目を細めて微笑む。

「鞠佳が、いちばんかわいいから」

不破絢はなにもかも完璧《かんぺき》な高校二年生で、そして。

――付き合って四ヶ月目の、あたしの恋人だ。

「……ずるい」

「なにが？」

「ぜんぶ」って言ってあたしは目を逸《そ》らす。絢はたった一言で空気を変えちゃうからずるい。これ以上喚《わめ》き散らしたら、あたしが空気読めてないみたいになっちゃうじゃん。

「絢のばか」

「成績は上だけど」

「……知ってて言ってるでしょ」

むうと唇を尖《とが》らせたまま睨《にら》む。絢はなにも言わず、あたしの手を両手で包み込んできた。にぎにぎと揉《も》まれる。まるでマッサージみたいで、負け負けに打ちのめされたあたしの心があっという間に解きほぐされてゆく。むうう……。

　これだから恋する乙女《おとめ》ってチョロい。このままチョロさが進化しちゃったら『こんなに素敵な人が恋人なんて最高！　抱いて！』みたいに、絢の完璧さもそのまま受け入れられるんだろうけど、あたしはまだダメみたいだ。チョロ力が足りない。真正面からテストの点数で叩きのめされてなお、素直になれるほどできた恋人じゃないのだ。

　てか、別に絢は完璧じゃないし。生まれたときからなんでもできていたわけじゃない。あたしは絢が本当は不器用で、傷つきながらぶつかりながら今の絢にたどり着いたんだって、もう知っちゃってる。

　今回だってどうせ、あたしと勝負するからってめちゃくちゃがんばったんだろう。買った百合《ゆり》漫画も積んでたみたいだし。……あたしもけっこうがんばったつもりだから、悔《くや》しいは悔しいけどさー。

「この、この」

　ささやかな仕返しにと、絢のハイソックスを履《は》いた足の裏をくすぐってやる。絢は平然としてた。まじか。

「足の裏、効かないの？」

「あんまり。鞠佳は？」

「えっ、ちょ、やめ、あたしは弱いんだって！」

逆にくすぐり返され、あたしは身をよじって悶《もだ》えた。

はぁ、はぁ、な、なんてことをしやがる……。セーラー服の女の子が絡《から》み合《あ》ってくすぐり合うとか、マニア向けの映像作品じゃないんだから……。

庭を駆け回った犬みたいにぜえぜえと息を切らし、よろよろと起きあがる。

「なんか、あたしの弱点ばっかり知られてくー……絢の弱点も教えてよー……」

「弱点。鞠佳の涙かな」

「そういう話じゃなくてね」

少なくとも、あと三分くすぐられ続けていたら涙出てただろうけど、それで絢に謝られても釈然としないからね……。

「はあー」

両手を伸ばして、テーブルに突っ伏す。顔の近くにあるテスト用紙のマルを指でなぞる。こすったら消えないかな。90点下がったらあたしの勝ちになるんだけどな。

絢はあたしの無駄な悪あがきを哀れんでか、トドメを刺すみたいに言ってきた。

「じゃあ鞠佳、やくそくどおり、罰ゲームね」

「なんで勝てるって思っちゃったかなー！　あの日のあたしー！」

仮に勝てないとしても、挑戦し続けることをやめてしまったら、あたしの心は絢に屈服してしまうからだ！　それは違うと思ったからだよ！　もう！

それじゃあ何番？　と今回は選ばせてもらう余地もなかった。尊厳を守るみたいに内股でスカートを押さえながらベッドに腰掛けたあたしの前、絢が手にしてるのは罰ゲームがたくさん書かれた魔のメモ帳ではなく…………ハンディカムのビデオカメラだった。

「それじゃあ鞠佳、すこしずつスカートをあげていこっか」

「ちょっと待って⁉」

両手を前に突き出してビデオの単眼から顔を隠しつつ叫ぶ。

「ツッコミが追いつかないんだけど！　なんでビデオ用意してるの⁉」

「勝つ自信があったから、かな」

「それでなに撮る気⁉」

「鞠佳」

「の裸でしょ⁉」

ローアングルでビデオを構えている絢は真剣で、どこに出しても恥《は》ずかしくない端正な顔立ちのくせにめちゃくちゃヘンタイっぽくて恥ずかしい。この子、あたしの恋人なんすよ……。

「てかこれ、前言ってた罰ゲームのハメ撮りってやつでしょ……なんなの、だいたいハメってなによ、女の子同士でハメって……」

「鞠佳、言葉遣いがはしたないよ」

「そっちがそれ言う⁉」

絢がにじり寄ってきた。身の危険を感じる……。

とん、と軽く肩を押されて、あたしはベッドに押し倒された。絢はあたしの股の間に膝《ひざ》を割り入れて、のしかかってくる。ビデオは構えたまま、空いた手でつつつとあたしの首元からお腹《なか》を抜けて、腰、スカートへとその指を動かしてゆく。

「う……うう」

レンズに似た絢の視線に射すくめられて、あたしはなんか動けなくなっちゃう。

そりゃ罰ゲームだから、あたしに拒否権はないわけだけど……ビデオ、ビデオか……倫理的に、どうなんだろ……とか悩みつつも、どうせあたしは雰囲気に流されてしまうんだろうなあ、と思ったりもする……。

いや、深く考えてないわけじゃないけど、別に、絢だからいいかな、みたいな……こんなヘンタイを好きになっちゃったあたしの責任だし……。

覆《おお》いかぶさられたまま、頰《ほお》を撫でられ、あたしは顔を熱くしながら目を逸らした。ああもう、顔がいい……。

手を胸元《むなもと》で組み合わせて、あたしは絢を上目遣《うわめづか》いに見上げる。

あたしも、もう高校二年生だ。早すぎるってことはないし、ちゃんと自分で選択できる年齢になったと思ってる。だから。

「い、いいけど、別に……絢がしたいんだったら……その、なんか、ハメ的なことをしても……絢だったら、いいけど……」

まさかこのセリフを女の子の部屋で女の子相手に使うなんて、思わなかった。けどどうせ絢のことだ。あたしもよく知らない道具的なものを持ってたりするんだろう。

もしそうなっても、相手が絢ならきっと、後悔はしない。しないと思う。たぶん。初めては痛いって聞くから、こわいけども！

でも、絢は。

「――それは、ダメ」

「え？」

石で石を叩くみたいな鈍くてガツンとした声で、あたしの申し出を拒絶した。

ちょっと……いや、かなり意外で、あたしはぱちくりと瞬きして絢を仰《あお》ぎ見る。絢はいったんビデオカメラを置いて、怒ってるような目であたしを見下ろしてくる。な、なんで？

「……鞠佳は、もうちょっと、自分をたいせつに」

「特に粗末《そまつ》にしてるつもりはないけど……？」

そもそもハメ撮りとか先に言い出したのは絢じゃん、と憎まれ口を叩こうとしたけど、気圧《けお》されたように言葉が詰まる。なんだか絢らしくない頑《かたく》なな声色《こわいろ》だった。

なんでそんなに強く言うの……？　あたしをえっちな沼に引きずり込んだのは千パーセント、

絢なんだけどなあ。

「とにかく、それはダメ」

「う、うん。でもあたしは指とかで処女失っても」

「ダメ」

はい、と大人しくうなずくことにした。絢なりに理由があるんだろう。あたし自身、どうしてお菓子《かし》を買ってもらえなかった子どもみたいな気分になってるのか、わかんないけど。

と、絢はアセアセと慌て出して。

「あ、だ、だからって」

「?」

絢はごくりと生唾《なまつば》を飲み込み、緊張した面持ちであたしに指を突きつけてくる。

「そこらへんの人をつかまえて経験しようとか、ぜったい、ぜったいだめだからね!」

なにいってんだこいつ……。

一瞬ぽかーんとしてしまった。いや別にあたし、意味もなくヴァージン捨てたいわけじゃないんで……。

けど、じっと目を見つめてくる絢の赤くなった顔は、まるで娘の結婚に反対するお母さんみたいだ。そんなに心配なら、絢がもらってくれればいいのになーって。あたしが思ってるのは、絢にも伝わってるはずなのに。

にしても、絢がそんなに動揺するところ、久々に見たなあ。

くすっと笑って、絢の頭を撫でる。

「大丈夫だから、しないってばそんなの。当たり前でしょ、焦《あせ》ってるわけじゃないんだから。……もう、絢はかわいいなあ」

「……………」

あっ、早とちりしたのが恥ずかしくて、照れ隠しにむすっとしてる。

なにこれ、かわいい。絢かわいい！

「絢ってばそんなにあたしのことが心配なの？　へー、へー、あたしのことそんなに好きなんだー、ふーん、絢ちゃんってばそうなんだー、へー」

頭を撫でくり回す。絢はぬいぐるみみたいに、されるがままになってる。ああっ、かわいい。からかいたい。イジワル言いたい。ここぞとばかりにマウント取りたい！

「絢ちゃんもやきもち焼いたりするんだねー。そうだよねー、絢ちゃんってばいつもそんな風に澄ましちゃってるけど、ほんとはあたしのこと好きで好きでたまらなくてもうラブラブだもんねー。かーわいいー」

めちゃくちゃきもちいい。普段あたしがされてることをやり返してるだけなんだけど、たまんない。絢をちっちゃい子扱いするの、すごい、昂《たか》ぶる。

これからもちょいちょいやろう……って思ってた辺りで、絢が気を持ち直した。よし、撤退

だ。深追いは避けよう。あたしもやられてばかりのうちに、ちゃんと学んでるんです。勉強できる系女子だから！（二位だけど）

で、絢はこほんと咳払《せきばら》いしてから、髪を整えてビデオを構えた。

「それじゃあ始めるよ」

「はーい」

すると絢はヴェールをかぶるみたいに態度を豹変《ひょうへん》させて、妙に芝居がかった艶《つや》っぽい声を出してきた。

「いい？　鞠佳。これはただのビデオ撮影。ただの記録だから。緊張してる？　だいじょうぶだよ、リラックスして。やさしくするね」

あれ、それどこかで聞いたようなセリフですね……。具体的にはあたしが初めて見たＡＶの……。まさかこれ、ただのえっちを録画するわけじゃなくて、そういう流れのやつなの？

「あのー……それも含めて、罰ゲームなんですかね」

素の絢がマジメに応《こた》えてくる。

「雰囲気はだいじだから」

最愛の恋人の意見は尊重してあげたいけど無理だな、って思った。

「そっかー……絢、将来ＡＶ監督とかになったりしないよね……？」

別にどんな職業でもいいとは思うけど、なんだかそれはあまりにも絢に似合いすぎて嫌だった……。ベッドに横になったまま不安げにうめくと、絢はぴたりと止まってわずかに考え込む。

それからあたしを窺《うかが》って。

「……鞠佳がＡＶ女優にならなければ、かな」

「ならないよ⁉」

ご近所に響きそうなぐらい大きな声出た。

その後、ハメ撮りは無事終わった。無事？　事実だけを告げよう。まあ、終わった。ひとしきり絢が満足するまで。ノリノリの絢に乗せられて、結局あたしも恥じらいの向こう側にたどり着いちゃったりして……。

いや、これはあたしがどうとか言うよりは、絢が雰囲気を作るのが上手なだけだ。だっていちいち「きれいだよ」とか「かわいいよ」とか愛玩動物相手みたいに言ってくるんだから。恋人の褒《ほ》め言葉にいい気分にならない女の子とかいないし……うん。

それでも、だいぶエネルギーを使ってしまって……というか、使い果たしてしまって、あたしはいつの間にか裸のままの絢のベッドでうとうとしてしまってた。

気づいたら、どうやらもうけっこういい時間。窓の外が暗い。

ぼんやりしてる。事後の気だるさと、気持ちよさの燃え滓《かす》が混ざり合って、なんだか隣に眠る絢の腕にいつまでも抱きついていたいような気分だった。

絢はあたしに抱きつかれたまま、片手でスマホをいじって漫画を読んでた。暗闇《くらやみ》にスクリーンのほのかな明かりに照らされた横顔が浮かび上がってる。たぶんそうやって、ずっと起きてたんだろう。時折眠るあたしの頭を撫でながら。

あー、なんか。

好き。

声には出さず、心の中でつぶやいてみる。あたし幸せだな、って。

ふと、絢と目が合った。もしかして、口に出してたのかなって思っちゃったけど、絢はそれ以上なにも言ってこなかった。うん……うん。ドキッとしてちょっとだけ目が覚めた。あくびを噛《か》み殺《ころ》す。

「あー……帰らなきゃ」

「ん」

絢は下着姿だった。そうだとわかってたら、腕だけじゃなくて足も絡みついてたのに。ふとももとふとももが触れ合う感触は好きだ。って足を絡めようとしてダメダメ無理無理あたし今裸じゃんって気づく。

パンツ、あたしのパンツどこ。足でたぐり、引き寄せる。布団《ふとん》の中でごそごそとお着替え。ふー、と間一髪難を逃れたような気分で身を起こす。しかし次はブラを探さないと。ぼやぼやしてると絢が電気つけちゃうので、迅速《じんそく》に。

明るいところで裸を見られるのは日常茶飯事《にちじょうさはんじ》（になっちゃったけど！）だけど、だからって慣れたりはしない。そのうちお腹の贅肉《ぜいにく》がどっかいって、絢よりスタイルがよくなったら自信ももてるだろう。……うん、来ない未来を想像するのはやめよう。

心の中で勝手にバタバタしつつ下着を装着し終わったところで、絢がシーリングライトをつけた。蛍光灯の眩《まぶ》しさが目に刺さる刺さる。制服を着直し、首にマフラーを巻いて腕にコートを抱いた。よし、準備おっけー。

その頃《ころ》には、絢も脱いだ制服をまた着てて。

「送ってくよ」

「ん……あ、ありがとう」

当たり前みたいにあたしのスクールリュックを持って、部屋を出た。その後を、ひょこひょこついていく。うっ、廊下寒っ。コート着よ。

廊下には、相変わらずホコリひとつ落ちていない、きれいなおうちだ。でもあたし、絢の家で他の人見たことないんだよねー。けっこう遅くまで居ることもあるのにさ。なんか事情があるんだろうなあ、と思いつつも、これはあたしの中では聞かなくていいことに分類されてる。

なにかあるんだったら、絢のほうから話してくれるだろうし。別に空気読んでるとかじゃなくて。はい。

「どうかした？」

「ううん、いこ」

絢は立ち止まったあたしを気遣って、振り返ってくる。その思いやりも、いつもどおりあたしを駅へと送ってくれる優しさも、なんでえっちの最中には発揮してくれないんだろうか。あたしをイジめて、いやがることをして楽しんで……。

『だって、鞠佳がそういうの好きだから』って、絢は言い張るだろう。違うんだよ。あたしは絢がしてくれるのが嬉しいのであって、特別Mっけを振りまいてるわけじゃ！

「なんか鞠佳、さっきから表情がころころ変わって、おかしい」

「え？　そ、そんなことないけど？」

口元に指を添えてくすっと笑う絢の横を通り過ぎて、玄関へ。どうせ外はさらに寒いに違いない。マフラーを巻き、さらにイヤーマフをつけて暖気を逃さないよう、完全武装。絢はというと、ただマフラーをふわりと首にかけただけのスタイル。風の子か？

「あたしはあんまり冬が好きじゃないんだけど……絢って、暑さも寒さもあんまり効かないの？　ロボットかなにか？　あたしの涙だけが感情を動かすの？」

「実は、鞠佳を救うために未来からやってきたんだ、っていったら、どうする？」

「救うためにって、なにからよ」

「……チャラ男とか、コンパとか、鞠佳を狙《ねら》うすべてから？」

「そもそもあんたがあたしを女好きにしたんでしょーが……」

玄関には、絢の靴しか並べられてない。意識的に疑問を抱かないようにしつつ、ドアを開けた。流れ込んでくる外気は冷たく頬を刺す。

けど、割と体はポカポカしてたので、思った以上に平気だった。さっきまで絢と抱き合ってたから、絢の体温があたしを守ってくれてるみたいだ。

「今度はなんだかうれしそうだね」

「……あんまり人の表情を観察しないでよ。う、嬉しそうにとかしてないし」

「私のことかんがえてたの？」

いたずらっぽい瞳に見つめられて、むう、と思いつつも、なんだかそわそわしだす手をダッフルコートのポケットに押し込む。

「そうだけど……」

「でも、今はとなりにいるんだよ。ほら、ね」

絢があたしのコートのポケットに手を突っ込んできた。ひんやりとした絢の手が、あたしの右手に絡みつく。ちょ、ちょっと絢、おうちの近くですよ。

「だいじょうぶだよ。一緒のポッケに手を入れているのは、寒いから。ちゃんとした理由があるから、ひとに見られてもへいき。邪推《じゃすい》されない。合法」

オマケの一言だけ違和感あるけど、あたしは「そだね」と小さく首を縦に振った。

こんなに堂々と、絢んちの近くでも手を繋《つな》いでいられるなら。

今年から冬は……まあ、そんなに、嫌いじゃないかも。

「また、うれしそう。鞠佳かわいい」

「もう、それ禁止！」

あちこちイルミネーションの飾り付けられた、駅への道すがら。絢が「そういえば」とやけに色気のある白い息を漏《も》らしながら、口を開いた。

「うちのお店で、クリスマスイブにパーティーをやるんだ」

「え、あのバーで？」

「うん」

絢がアルバイトしているのは、新宿二丁目のビアンバーだ。それだけ言うとすごそうな響きだけど、通ってるうちにあたしもすっかり常連になってしまった。気軽で入りやすくて、居心地のいいお店だ。

そんなところでパーティーなんて、パリピじゃなくても華やかで絶対に楽しい！　はずなのに、絢は隣でなぜだか浮かない顔をしてた。どうしたのかな。

「ひょっとして絢、あたしとふたりで過ごしたかったとか？」

「ううん、私はべつに」

明確に否定された。えっ、そ、そうか……。なんか微妙に落ち込むぞ。

「鞠佳がなにか計画していたら、わるいことしちゃったな、って。付き合ってはじめてのクリスマスだから」

「なんだろ、特にそういうのは考えてなかったかな。いや、考える余裕がなかったのか……テスト勉強漬けだったから……」

負けたけど。負けてハメ撮られたけど。肩を落とす。落としついでに聞いてみる。

「絢は、あたしとふたりっきりのクリスマス、別に、なの？」

「うん」

こともなくうなずかれた。絢にとってあのバーが大切な居場所だっていうのはわかる。わかるわかる。あたしは理解あるカノジョだから、それで拗《す》ねたりとかしないよ、大丈夫。ちょっとは寂《さび》しいけど！

「あ、いや、そうじゃなくて」

なにかに気づいたらしい絢が、弁明を始める。でも可憐《かれん》さんたちとパーティーなんて、それはそれでとっても楽しそうだから実際いいんだけど。

って伝えようとしたら、あたしを見つめる絢の視線がとっても熱くて、大事なことを言おうとしてくれてるのかなってことがわかったから、黙って待つことにした。

急《せ》かしたり茶化《ちゃか》したりとかしない。あたしたちの間にそんなの必要ないって、わかってるから。絢は不器用だけど、ちゃんと言葉を選んで伝えてくれるって。

「クリスマスだから、とかじゃなくて」

それはまるで、告白するみたいな真剣さで。絢は初めて好きと言ったときのあたしみたいに、しっかりと自分の心を紡《つむ》いだ。

「私は、クリスマスだけをとくべつに思ってない、っていうか……鞠佳とは、３６５日いっしょにいたい、から」

かぁぁ……と絢の顔が赤く染まってゆく。

「私にとっては、鞠佳がとなりにいる毎日が、とくべつ、だから」

う。

恋人から告げられた言葉は、ちょっとパワーが強すぎた。コートの中が急に熱くなってくる。絢と繋いだ手が汗ばんできそうで恥ずかしかったけど、ここで離すと誤解されそうだからそのままにした。

きょうみたいに何気ない日常だって、絢にとっては特別な日々なんだね。

「……絢、そういう部分を急に出してくるの、ほんとずるい」

「そう？　でもね、前に可憐さんに言われたから、ちゃんとこういうことも言わなきゃって思ったんだよ」

なんだかもうずいぶん前のことみたいだけど、あたしと絢はかつてライバル同士で、お互いの心がちっとも見えなくて、ずっと不安がってた。

　一歩間違えれば今みたいな未来はなくて、きっと今でもいがみ合っていただろう。うん、そっちの未来も容易に想像できる。

　だから。

「うん、嬉しい、絢。ありがとね」

「……重いとか、うざいって、おもわない？」

「ええっ？　思わないってば。なにその大人の恋愛に毒された発想。だいたいそんなの百万円で身柄を買い取られた時点で、もう十分わかってたってての。今さらだってば」

　絢が顔に陰りを落としてるときは、あたしが北風みたいに軽く笑い飛ばしちゃう。

「好きな人にたくさん想《おも》われて、嫌な気分になるわけがないから。てか、重いって思われるのは嫌なのに、ヘンタイ扱いされるのはぜんぜん平気なの？」

「うん。だって、なんだかんだ鞠佳はいつも、よろこんでいるから。でも束縛とかされるのは、イヤそうかなって」

「よ、よろこんで……いや、別に、よろこんではないし……」

　語気がかすれるように小さくなっていってしまう。この期《ご》に及《およ》んでソッチ関係は素直に認められない自分の心に妙な罪悪感を覚えたりして。

「もしかして、電話もあんまりしてこなかったり、朝と夜しかＬＩＮＥ送ってこないのって、そういうのもあるの？」

「それも、ちょっとはある、かな」

もともと筆不精だから、と絢は言い訳をしつつ。

「鞠佳の声きいたり、メッセージみると、ムラムラしちゃうから。いろんなことが手につかなくなるんだよね」

「爽《さわ》やかに笑いながらなに言ってるのよ、ヘンタイ……」

ドン引きして手を離す。絢は少し残念そうだった。ほだされそうになるけど、心を鬼にして突き放す。これからもずっとヘンタイ発言だけは咎《とが》めていきますので。

じゃないと、どこまでエスカレートするかわかったもんじゃないからね。今でもやばいところに片足突っ込んでるわけだし。片足で済んでる？

「でも、うん、わかった。クリスマスイブのパーティー楽しみにしてるね。あと、絢の気持ち、伝えてくれてありがと。……嬉しかった」

「……ん」

並んで再び歩き出す。駅はもうあと少し。絢との特別な時間は、もうすぐ終わっちゃう。切なさに手を伸ばすみたいに、あたしはささやく。

「……あたしも、好きだよ、絢と過ごす毎日。みんなと過ごす時間ももちろん好きだけど、そこに絢がいてくれるから、なんかすごく嬉しくなるんだもん」

「鞠佳は口がじょうず」

「え、そう？」

絢こそ、あたしを言葉責めするときはアナウンサーかよってぐらい舌が回るくせに。

「うん。私はなにを伝えるべきか、伝えないか、いつも迷っているのに。鞠佳はほんとうにたいせつなことを当たり前みたいに言うから……ドキドキする」

「そ、そっかな。へへ……なんか、絢に褒められるの、嬉しい。もっともっと、ドキドキさせてあげるからね？」

ちょっぴり調子に乗っておどけた口ぶりでウィンク。どうやら効いたみたいだ。絢はチャーミングな仕草に弱い。顔をそらした絢の首筋は赤く染まってて、こっちこそドキドキする。一度ペースを崩した絢は、しばらくずっと大人しくて、正直めちゃくちゃかわいい。こんなにかわいい生き物、他にいない。とても口に出しては言えないけど、こんなにかわいい絢があたしと付き合ってるって、ものすごいことなんじゃないだろうか……。

とりあえずクリスマスパーティーには絶対にいこう、って決意した。

そんな風に、伝えるべきこと、伝えないことを選り分けて、不器用ながらも毎日前に進んでいるはずの絢は。

唐突に、とんでもないことを言いやがった。

「でもよかったよ、鞠佳がきてくれるって言ってくれて、ホッとした。私、クリスマスだけはバイト休めないんだよね。私の誕生日パーティーもかねているからさ」

「へー、そうなんだー。…………ん？」

今なんかおかしなこと言わなかった？

「誕生日パーティー？」

「うん」

「誰の？」

「私の」

ちょっと待って、理解できない。

「絢、誕生日なの？」

「うん、翌日の十二月二十五日」

それがなにか？　と目で問う絢に、あたしは虎《とら》のように吠《ほ》えた。

「ありえない！」

「え？」

突然のセーフワードに目を白黒させる絢に、コートを翻《ひるがえ》したあたしは摑《つか》みかかる。

「それは先に言えよお前ー！」

怒鳴られてなお、絢はきょとんと「大事なことだった？」とか聞き返してきやがった。信じらんない！

恋人の付き合って初めての誕生日、あたしになんのプレゼントも用意させないつもりだったのかこいつ！

　こういうところが絢ってワケわかんない！

「信じらんない！　ちょっと聞いてよお母さん！」

　家に帰ってなお怒りが収まらず、あたしは帰ってきたばかりのお母さんをダイニングで捕まえて騒ぎ立てた。うちは両親が共働きで、お母さんも普通に仕事してる。きょうのご飯は、帰りに買ってきてくれたお弁当だった。

「お誕生日を教えてくれなかった、って……そんなに怒ること？」

　あたしのお母さんは見た目若々《わかわか》しい。きちっと髪をまとめてビジネススーツを着たその姿はいかにも仕事ができそうで、かっこいい感じだ。

　休みの日もよく友だちと出かけたり、あたしをおしゃれなお店のランチに連れて行ったりしてくれるし、あたしのノリはだいぶお母さんの影響が強いんだよね。そんな似たもの親子だから、お母さんも乗ってくれると思ったのに。

　怒ることだよ！　もう！

「だって、プレゼント贈ったりできないじゃん！」

「それが申し訳ないって思ったんじゃないの？」

「ええー？」

　まるで見てきたみたいに言うお母さんは、席についてスマホをいじりつつ。

「鞠佳は良かれと思っているのかもしれないけど、善意ってのは一方通行じゃないんだよ。受け取る側にも、それなりの負担を背負わせることになるんだからね」

「……なにそれ、重いってこと？」

　あたしは眉間《みけん》にシワを寄せて尋ねる。少し前のやり取りで、絢にぜんぜん重くないって言ったのはあたしだけど、むしろあたしが重いって思われてるわけ？

　お母さんは顔をあげて苦笑い。

「それとはちょっと違うんだけどね。『もらえるものはなんでももらっとけ』みたいな子ばっかりじゃないってこと。鞠佳と対等なお付き合いをしたいっていう子なら、そういう考えにもなるんじゃない？　ま、わかんないけどね」

「わかんないのに言わないでよ……」

　こういう終盤、雑になっちゃうところとか、ホントあたしのお母さんって感じ。

　てか、絢が誕生日のこと言い忘れてたの、そんなんじゃないから。自分のことなんてどうでもいいって思ってるんだから、あいつは。

　絢はあたしのことを大切だと言ってくるくせに、あたしが絢のことを同じぐらい大切に思ってることにまったく意識が向いてないんだ。

　だからいつもされてるみたいなことを返すと、急にびっくりされたり、過剰に感謝されたりする。なんでそんな性格になっちゃったのか知らないけど、絢は無意識でずっとそんな風に思ってる。

　お弁当の片方、唐揚《からあ》げ弁当を確保。部屋に戻って着替えて食卓につくと、先に座ってたお母さんはなんだか苦《にが》い顔で腰を押さえてた。

「どうかしたの？　ぎっくり腰？」

「違うと思うけど、なんか鈍《にぶ》い痛みが続いててねえ」

「病院いきなよ」

「はいはい、休みになったらね」

「このワーカーホリックめ」

　ふたりの食事の画像を撮って家族のグループＬＩＮＥに流してから、いただきますをする。するとお母さんとあたしのスマホがブルブルと鳴った。お父さんだ。牛丼の画像が送られてくる。すかさずお母さんが『野菜も食べて』と野菜のスタンプを送った。

「お父さん、年末には帰ってこれるのかな」

「どうかねえ。今、ことさら忙しいみたいだからねえ」

「そっかあ」

ＩＴ業界勤めのうちのお父さんは単身赴任中で、もう二年も北海道にいる。暇な時期は下手《へた》したら毎週帰ってくるので、ぜんぜん単身赴任っぽい感じがないんだけど、忙しい時期に入ると一シーズン顔も見なくなってしまう。

なので、あたしが発案でお互いご飯食べるときにはその画像をグループＬＩＮＥに流すという習慣が生まれた。ちょいちょい忘れるけどね。

「この広い空の下、どこかでお父さんもご飯を食べているのねえ」

「なにしみじみ言ってるの、お母さん」

うちの両親は仲いいし、あたしもふたりと仲がいい。それはきっと、幸せなことなんだろうな。この広い空の下、たぶんひとりでご飯を食べているであろう恋人を思う。

なんとなく寂しくなってしまって、あたしは絢にも唐揚げ弁当の画像を送った。

するとすぐに返信。絢の画像は恐らく夕食なんだろうけど……。紙皿によそわれたブロッコリーだった。冷凍のやつだろう。その上に、ドレッシングがかかってる……だけの画像だ。

「どんな晩ごはんよ……」

絢の私生活はよく言えばミステリアスで、悪く言えばめちゃくちゃ適当な暮らしだった……。

ウケる……。

「なにニヤニヤしてんの」

「え？　し、してないし」

顔をあげると、ニヤニヤしてるのは明らかにお母さんだった。

「彼氏と遊ぶのはいいんだけどさ、だからって門限破っちゃだめよ？　女の子のひとり歩きは危ないんだから。あんまり遅くなるようだったら駅まで迎えに行くからね」

「そっ、そんなんじゃないし。てか、今どき門限とか、そんなのある家のほうが珍しいのに……ここらへん治安悪いわけじゃないし、別にいいじゃん、遅くなっても……」

慌てて話を変える。まだお母さんと恋バナを素《す》でできるほど、経験豊富じゃないんですよ、あたしは。……てか実際違うし。絢は彼氏じゃなくて、あたしの彼女だし。

でも、そんな風に否定しても、お母さんは「ふぅ～～ん」とあたしの言うことなんてぜんぜん信じてない顔をしてる。ぐう。

「あー早く娘と恋バナで盛り上がりたいなあ～、鞠佳は私に似て、モテるからなあ～」

「ウザぁー……お母さんがモテてたのそれ、何千年前の話……」

お母さんは、「ま、クレオパトラか私かってところかな」と言って笑う。バカじゃないの……。

このときのあたしは、当たり前の毎日がいつまでも続くと信じて疑わなかった。

テスト後の解放感に包まれながら、その後に待つ冬休み、そしてクリスマス、さらに絢のお誕生日と、楽しいことばっかりを考えていて、それが本当に楽しくて。

だからまさか、あんなことがあるなんて、思いもよらなかったのだった。

第一章

——不破《ふわ》絢《あや》は左手首の時計を見やる。まだ五時になったばかり。

テストから一週間が経《た》って、十二月十九日の水曜日。あと二日学校に行けば、冬休みだ。今までは長期休みに入るたびに好きな人の顔を見ることができなくてしょんぼりしていたけれど、これからは違う。会いたければいつだって会える。そういう関係に、自分たちはなれたのだ。

きょうは鞠佳《まりか》と別れて、学校帰り、絢は駅前の本屋に寄っていた。地道に百合《ゆり》漫画を取り寄せていたら、どんどんと品揃《しなぞろ》えがよくなっていったひいきの店だったりする。

絢の買い物はシンプルだ。目的のものを選んで、即回れ右。今夜は新作を読んで過ごすことになるだろう。最近は百合漫画も点数が増えてきて嬉《うれ》しい。楽しみだ。

楽しみといえば、クリスマスパーティーには松川《まつかわ》知沙希《ちさき》と三峰《みつみね》悠愛《ゆめ》の両名も招待させてもらった。ふたりとも乗り気で、喜んで遊びに来てくれるそうだ。

知沙希とはずいぶんと仲良くなった。共通の趣味でよく話すようになってから、ちょくちょくとやり取りを交わしている。恋人のグチや惚気《のろけ》や惚気や惚気を聞くのは、意外と楽しいものだ。彼女の竹を割ったような性格もまた、好感がもてた。そもそもの人間力の高さは、さすが鞠佳のお友達といったところか。

鞠佳は榎本冴《えのもとさえ》も招待する予定らしいが……まあ、鞠佳の好きにしてもらえばいいと思う。自分は関与しない。

改札へ向かって駅ビルを歩いていると、ふと店先に飾られているマネキンが目に入って立ち止まる。普段はあまり気にもとめないガーリーなブランドだが、むやみやたらとかわいらしい。

（……鞠佳に、似合いそう）

最近じゃ、自分の服よりも、どんなものが鞠佳に似合うか考えている時間のほうが長い。ショップに立ち入って、気づけば脳内で鞠佳の全身コーデを完成させてしまっていた。もちろん下着もだ。そこが一番大事だ。

（ファッションコーディネーターになりたいって夢は、案外こういうところからめばえるのかな。ああでも、鞠佳以外のコーディネートはあんまり興味ないか）

絢の見立てた鞠佳はきっとかわいいだろう。でも想像上のどんな鞠佳よりも、現実の彼女はそれをたやすく超えてくる。鞠佳七不思議のひとつであった。

スマホが震えた。電話だ。

絢に電話をかけてくる人は少ない。せいぜい可憐《かれん》さんで、その用事はたいていシフトの相談だ。人通りの邪魔《じゃま》にならないように通路の端に寄ってから、スマホを取り出して発信者を見やる、と。

鞠佳だ。

普段なら嬉しくなって、弾《はず》む声を自重《じちょう》しながら電話に出るのだけど……今ばかりは、嫌な胸騒《むなさわ》ぎがした。

絢の第六感は、昔からよく当たる。特に鞠佳のことに関しては、非常に高い的中率を誇った。前に、夜の公園で鞠佳を冴の凶刃から救ったのはまだ記憶にも新しい。

少し怖いけれど、恐る恐るスマホを耳に近づける。

「もしもし――」

『あやぁ……』

冷水を浴びせられたようにハッとした。

鞠佳は涙声だった。

「……鞠佳？　どうしたの？」

『お母さんが……お母さん、がぁ……』

「え？」

息を呑《の》んで耳をそばだてる。周囲の雑音と、診察待ちの患者を呼ぶ声から、鞠佳は病院にいるのだと推察した。

鞠佳の言葉と、涙をにじませた態度。そして病院。

否《いや》が応にも、よくない想像をしてしまう。

絢はこわばる頬《ほお》をなんとか動かす。

「今どこの病院にいるの？　鞠佳、すぐにいくから」

『えっ……で、でも……絢……』

「いくから」

『うん、うん……ごめん、ね……』

「ううん、あたりまえ。だって、鞠佳のこいびとなんだから」

努めて優しい声を出すと、鞠佳の鼻をすする音がした。絢はぎゅっと拳《こぶし》を握りながら、さらにささやく。

「……好きだよ、鞠佳」

『うん、ありがと……あたしも、好き……』

スマホを切った絢は、駅前に出てすぐタクシーを捕まえた。鞠佳の教えてくれた病院は三駅の距離なので、すぐに到着するだろう。どんなに遠くても、ジェット機だってチャーターして向かうつもりではあったが。

タクシーの中で、なんとか動悸《どうき》を落ち着かせる。自分は人よりも打たれ強い方だと思っていたのだが、それでも最悪の状況を想像すると吐き気がした。胃の中にセメントを流し込まれたような気分だ。

（でも、鞠佳はもっとつらいに決まってる……私が、しっかりしないと）

かける言葉を必死に考えるけれど、それは星明かりもない夜のように困難な探し物だった。自分に言い聞かせたところで、難しくて。所詮《しょせん》、自分は高校二年生の子どもなのだと思い知らされる。

可憐さんなら、こんなときどうするんだろう。

どうするかはぜんぜん想像つかないのに、なにをするかはよくわかる。シェーカーを振るみたいな繊細かつ緻密《ちみつ》な技量で、立ちどころに鞠佳の心を軽くしてみせるのだ。

（そんなの、私には）

目の奥が熱い。鞠佳が榎本冴の件を相談してくれなかったとき、絢は嫉妬《しっと》した。分不相応にも、可憐さんに対抗意識を燃やしてしまった。だって、誰《だれ》よりも一番、鞠佳の力になりたいと願っているのは、自分なんだから。

なのに、いざ頼られたらこのざまか。

悔《くや》しいのか、情けないのか、それとも悲しいのか、よくわからない感情が頭の中をぐちゃぐちゃにかき乱す。

（だめだ）

絢は歯の根を嚙《か》み締《し》めて、なんとか涙を押し留めた。鞄《かばん》から出したハンカチで目元を拭《ぬぐ》い、その場で軽くアイラインを整える。鞠佳の前で頼りない姿を晒《さら》すのだけは、絶対に嫌だから。

病院の前に止まったタクシーに２４６０円を支払って降車する。向かう前に一度だけ深呼吸。

よし、大丈夫。大きな病院を見上げ、無理やり背筋を伸ばして歩き出す。

自動ドアをくぐる。院内の受付前に、所在なさげに立つ制服姿の鞠佳がいた。その背はいつもよりずっと小さく、心細く見える。

一瞬だけ、躊躇《ちゅうちょ》してしまった。もしも、鞠佳になにも言ってあげることができなかったら、と考えると怖い。自分の生きてきた意味が失われてしまいそうな気がする。

それでも、だ。絢は勇気を出して一歩を踏み出す。

今まで鞠佳は、本当に数え切れないほど、たくさんのものを絢にくれた。借りとか貸しとかじゃなくて、その恩に少しでも報いたい。だから。

「鞠佳」

彼女は恐る恐ると振り返ってきた。

「あ、あやぁ……」

その目にはやはり涙が。

鞠佳に小走りで駆け寄って、人目もはばからずその手を握る。手は冷たかった。

「……お母さんのこと」

「うん……」

こくりと鞠佳は力なくうなずく。その仕草《しぐさ》に、絢の胸がキュッと鳴る。

意外なほど、絢は落ち着いていた。試合でも、昔から本番に強いタイプだった。さんざん緊張して、あとはやるしかないという状況になったとき、ようやく肝《きも》が据わる。

対して、しゃくりあげる鞠佳の声は、かすれていた。

「ほんとに、もう、ばかだよぉ……」

「……」

鞠佳の両手を握ったまま、彼女の言葉を待つ。

どんなことを言われても、しっかりと鞠佳の悲しみを抱きとめるんだ。

だって鞠佳が、自分を必要としてくれたんだから。

そして、鞠佳はついに、わななくその唇を開いて……。

「お母さん、胆石《たんせき》見つかって」

「うん」

……胆石？

「じゃあもう、胆嚢《たんのう》取る手術しちゃおう、って……きょうから一週間入院するんだって……。

あたし、クリスマスパーティーも、絢とお誕生日のお祝いも、できないかもしれないよぉ……どうしよう……」

「え？」

思わず聞き返した。

「胆石？　胆嚢？」

「うん……一週間、入院するんだ、って……退院するの来週の二十六日で、おうちにお父さんもいないし、あたしが家にいなきゃいけなくて、だから……だから……」

「…………」

絢は難しい顔をして押し黙る。

ちょっと、鞠佳の言葉の意味が難しすぎた。もう一度噛み砕《くだ》いて整理しよう。

お母さんは無事で？　手術で家を空けるから、デートができないかもしれない？

そう、なるほど。

「鞠佳」

思った以上に、低い声が出た。

「うう、ごめんね、絢……約束してたのに、ごめんねぇ……」

「ぜったいゆるさない」

「うわぁーん！」

泣く鞠佳の前、ため息を吐き出す。

徒労感が両肩に重くのしかかる。泣き出したいのはこっちだ。どれだけ覚悟を決めてここにやってきたのかと……いや、まあ、お母さん無事でよかったけど！

＊＊＊　＊＊＊

ようやく落ち着いてきたあたしは、病院のロビーで絢に事情を説明してた。

「あたし、夜遅くなる日はお母さんに駅まで迎えに来てもらうんだよね、危ないからって……。だから、お母さんいない日は、けっこう早めに帰らなきゃいけなくて、それだとパーティーもデートもぜんぜん、遅くまでできないし……」

「……」

絢はあたしの手を握りながら、先ほどからずっと口数が少ない。うう、やっぱり怒ってるのかな……。

「手術後にお父さんがちょっとだけ来てね、一人暮らし大丈夫か？　って心配そうにしてくれたけど、お父さんは仕事忙しそうだし……。あたしの遊びのために帰ってきて、なんて言えるわけないし……」

むしろ、しばらく北海道に来るか？　と誘われてしまった。さすがに学校もバイトも残ってるから、それはできなかったけど。

「私はだいじょうぶだから、鞠佳、だいじょうぶだから」

長椅子《ながいす》に並んで座る絢が、とんとんと背中をさすってくれる。うっ、また涙出そう。

「鞠佳が泣くようなことじゃないよ。デートだって、昼間のうちにして、早めに解散しようよ。しかたないよ、おうちの事情なんだから」

「うん……」

確かに、こうして絢の胸に頭を預けて泣いてると、あたしなにやってんだろ、って気分になっちゃう。しかもここ、病院だ。あの子、ご家族を……みたいな憐《あわれ》みの目で見られるのは、恐縮すぎる。

「なんか、ごめんね。ひとりで勝手にパニくっちゃって」

スクールリュックをギュッと前で抱きかかえながら、あたしは自嘲《じちょう》気味につぶやく。

「絢は３６５日毎日がトクベツって言ってくれたけど、初めてのクリスマスに誕生日なんだから、あたしはやっぱり絢と最高の一日を過ごしたかったんだよね……。なのに、仕方ないことでこんな風になっちゃって、なんか、悔しいっていうか……」

あたしは約束を破るのが苦手だ。

嫌いじゃなくて、苦手。人が予定を覆してもなんとも思わないのに、あたしがそれをすることにひどく抵抗を覚える。それはきっと、あたしがいなきゃみんな楽しくないじゃん！　といううぬぼれでもあるんだろう。

別にあたしがいなくたって学校はうまく回るし、いたから劇的になにかが変わるわけじゃない。でも、みんなを楽しませるのはあたしで、そうやって自分の居場所を勝ち取ってきたから、他の誰かに役目を奪われたりしたくない。あたしの強いエゴ。

そんなめんどくさい部分。薄々自覚はしてたけど、まさか絢の前で泣いちゃうぐらいだとは思わなかった。

初めての恋人の絢については、その気持ちが普段よりずっと重いんだと思う。絶対に絢を楽しませてやるんだ！　って、意気込みすぎちゃってたのが裏目に出たんだ。

ほんともう、最悪。絢だってぜったい引いてる。

「あたし結局、ぜんぜん成長してないね……。空気なんて関係ないって思えるようになったつもりだったのに、すぐこんな風になっちゃって……」

「そんなことないよ」

絢は静かに首を振る。

「実際に変わったかどうかじゃなくて、変わろうっていうきもちが大事。だいたい、空気を読む鞠佳でずっといきてきたんだよ。いざ普段とちがう状況になったとき、いつもとちがうことができるわけないんだよ」

「うっ」

胸を押さえるあたしに、絢はすぐ「でもね」と優しい声を出す。

「そうやって考えて、悩むことが大事だと、私はおもうんだ。悩めば悩むほど、今度おなじことがおきたときに、前とは少しだけちがうことができるようになるんだよ」

絢ぁ……。

「なんて、偉そうかな？」

「……ううん、そんなことない」

あたしはちょっとだけ笑った。

「絢が言うと、なんか説得力あるし」

「でしょ?」

その励ましが、嬉しかったし。

「だからね、私のことは気にしないで」

「それはちょっと、難しいけど……がんばる」

どんなに絢にフォローしてもらって、よし気にしないようにしよう！　と一念発起《いちねんほっき》したところで、きっと、しばらく経った頃、あー絢の誕生日ずっと一緒に過ごせなかったなーって、事あるごとに思い出しちゃうんだろう。

　絢の言った通り、そのつもりでずっと生きてきたんだから、仕方ないことなんだろうな。気にしないようにするのも、努力が必要だね……。

「ほんと、ごめんね、うちの両親が心配性で。別にひとり夜道を帰るぐらい平気なのに、うちのルールで決まっちゃっててさ。お小遣《こづか》いでタクシー使うからって言っても、それはそれでダメ、ってさ……。もうあたし、高校二年生なのにね。恥《は》ずかしい」

「いや、それは鞠佳のご両親が正しいよ。全面的に正しい」

しまった。過保護っぷりにおいて、絢はうちの両親以上かもしれないのに。当然ながら手放しで賛同されてしまった。私の味方じゃなかった！

「……絢ならそう言うと思ってたけどさあ」

大事にされてるのはわかるけど、ちっちゃい子どもじゃないんだぞー……。

「初めてのクリスマスだからって、だいじょうぶだからね。私にとっては、３６５日、鞠佳といっしょの時間が大切だから」

「……うん」

言葉だけの慰めじゃなくて、本心だっていうのはわかってる。

けど、やっぱり、絢と夜までデートしたかったなあ。

「ん、よし」

あたしは拳を握って立ち上がった。

「玉砕覚悟《ぎょくさいかくご》で、あとでまたお母さんに直談判《じかだんぱん》してみるよ。ホテルに泊まったときだってあったんだし、粘って粘ってなんとかオッケーをもらえるようにがんばる」

そうだ、一度で諦《あきら》めちゃいけない。地道にコツコツがんばるのが絢の取り柄なら、あたしの取り柄は前向きでめげないところだ。そこに空気を読むことで得た対人スキルを生かして、なんとか。

「テストの点数だってよかったんだし、材料はいろいろ揃っているはずだから。お手伝いだって、勉強だってがんばるからって、言ってみるね」

一番の問題は、お母さんがあたしを遥《はる》かに凌《しの》ぐ海千山千のコミュ強者ってことなんだけど……や、やってみなきゃわかんないし！

「クリスマスまで、まだ一週間ぐらいあるんだし！　毎日押しかけてやる！　使える手はなんでも使ってやる！」

そんな風にひとりで奮起していると、だ。

絢が考え込む。

「使える手はなんでも、か……。ねえ、鞠佳のお母さんの病室って、どこ？」

「え？　なんで？」

「念のために」

「えーと。２０３号室の個室で、榊原《さかきばら》智美《さとみ》ってプレートかかってるとこだよ。あたしとけっこう顔似てるから、すぐわかると思う」

絢がガツンと衝撃を受けたような顔をした。いや、表情は変わらなかったんだけど、あたしには確かにそう見えた。

「鞠佳の、将来の、すがた……？」

う、うん。なんでそんな情感たっぷりに言うの。

「……ひとんちのお母さんに、ときめいたりしないでよね？」

半眼で言っておいてなんだけど。

あたしも絢のお母さんを見たら『えっ、きれい……（トゥンク）』ってなっちゃう気がする……。

「ってそうだ、おうちからいろいろ持ってこなきゃ。着替えとか暇《ひま》つぶし用品とか」

一応、おばさんも仕事終わったら手伝ってくれるみたいだけど、それはそうとして、スマホにはお母さんから持ってきてーってお願いされたメモがある。その量は膨大で、一週間遊ぶ気満々のようだ。人の気も知らないでー。

「じゃあ、もう一回病院にくるんだね」

「うん？　そうだね、ちょっとあとになるけど。ああでもごめんね、ほんと絢にわざわざ来てもらったのに、なんか、あたしこんなんで……」

「ううん、いいの。私もまたあとでくるから」

「え、そう？」

そんなに心配させちゃったかな。そりゃそうだよね、あんな風に泣いてたら。

ていうかもしかしてあたし、絢の前でこんなにわんわん泣いたの初めて？　えっ、なんかいきなり恥ずかしくなってきちゃったんですけど……。メイクもぜったいやばいことになってるだろうし！　帰って直してこないと！

「だ、大丈夫だよ、落ち着いたから。ひとりで平気。ひとりでできるもんだよ」

「ううん、こっちは私の事情」

事情と言われましても。また病院に来る事情があるのか。外来も閉まっているはずだけど、なんだろ。この病院にお見舞いする人がいるとか？

「じゃ、またね」

「うん」

忙しそうにしてた絢と、そうそうに別れる。

てっきり絢のことだから「手伝うよ」って言い出して、うちまでついてくるかと思ったけど……いや、別に寂《さび》しいとか、そういうんじゃなくてね。じゃなくてね。

ひとりになって、あたしは改めてため息をついた。

きょうから一週間、ひとり暮らし。それはそれで羽を伸ばせそうだけど、ほんと、どうしてこの時期に……。

あたしはがっくりとうなだれながら、改めておうちと病院を往復するのだった。

二時間ぐらいかけて買い出しを済ませて戻ってくると、なんかお母さんの病室には絢がいた。

なぜ⁉

あたしは扉の陰に隠れて、こっそりと中を窺《うかが》う。

恋人がお母さんと不倫してました、みたいなドロドロの展開になってたら、さっきの比じゃないぐらい泣くぞあたし。脅しじゃないぞ、心壊れるぐらい泣くからな。

ふたりはどこかで見たような、ハンディカメラを覗《のぞ》き込んでた。

んー？　なんか見覚えがあるような？

――あたしのハメ撮りを映した、あのハンディカメラだった。

「絢ぁ⁉」

怒鳴り込む。

「なにしてんの絢！　意味わかんないんだけど⁉」

「個室だからって、病院でおおきな声をだしたらだめだよ、鞠佳」

「言ってる場合か⁉」

「そうよ、鞠佳。今、面白《おもしろ》いもの見せてもらっているんだから」

「いや、だって、それ、だって、それさぁ！」

頭が真っ白になり、あたしはわなわなと震える。

待って、なにお母さんと談笑しながらＴｉｋＴｏｋなノリで見てんの⁉　明日からどんな顔でお母さんと顔を合わせればいいの⁉　あたしがなんの罪を犯した⁉

ふたりの間に割って入る。見たくないディスプレイに目を向けると、そこに再生されてたのは頭が浮かれきった疑似ＡＶプレイ中のバカップル……ではなく。

「お……？」

畳敷きの道場に向かい合って立つ、袴《はかま》をはいた男女の映像だった。

毒気を抜かれ、「なにこれ」とつぶやく。

「絢ちゃんね、合気道初段なんだって。高校二年生で初段ってすごいらしいわよ。しかも普通の合気道と違ってバンバン乱取りする流派だから、すごく強いんだってさ」

なぜか自慢げなお母さんの言葉が、右耳から左耳へと抜けてゆく。

遅れて気づいた。あ、ほんとだ、女性の方は絢だ。髪を縛ってまとめてるから、ぜんぜん印象が違う。

なんかの試合の様子、か……？　たびたび画面が揺れるのは、ビデオでＤＶＤ録画のテレビ映像を映してるからみたいだ。

前に絢から聞いたことがある。本来の合気道って、型の美しさを競う武道らしくて、戦ったりとかしないんだけど、絢はめちゃくちゃ修羅《しゅら》な流派に通わされてたので、グラップラー絢になってしまったんだとか。

ちなみに当時の絢は、学校にいって勉強して帰ってきて稽古《けいこ》して、以外の記憶がほとんどないらしい。子供の頃なにしてたの？　って聞いても「勉強と稽古。勉強と……稽古……」とだけうめいてた。

てっきり、武道はカジってる程度だと思ってたので、びっくりした。難民キャンプで秘密裏に育成される少年兵みたいだった。

その頃に隙間《すきま》を縫うようにして読んだ百合漫画が唯一の安らぎで、絢は百合趣味に傾倒していくことになるのだ。百合本を読んで人の心に目覚《めざ》めたらしい。

殺し屋が主役の映画の冒頭かな？　って思った。

まあ、それはいいんだけど。

「……なんで、あたしのお母さんに、乱取りの映像を見せてるの？　しかもテレビ画面をビデオで撮影したやつ」

「いそいでたから」

それは後者の説明であって、前者の問いには答えてないよね。

ともあれ、興味はあったので小さな画面を覗く。中の絢は真剣な顔つきをして、自分の二回りも大きな体格の成人男性に摑《つか》みかかり、技をかけてた。

ずしーん、ばたーん、という迫力で、男の人が投げ飛ばされた。

絢は涼しい顔で、なんとすぐに新しい男の人がチャレンジャー乱入って感じでやってきて、さらにまた投げ飛ばされて交代してゆく。えっ、絢めちゃくちゃ強くない？

絢が本気で戦ってるところを見るのは初めてだけど、かっこいいっていうより、なんか、すごい綺麗《きれい》だった。ドキュメンタリーで見る野生の肉食動物みたいに、荒々しくも洗練された動きは、あたしの目を惹《ひ》きつけて離さない。

……って、わけもわからず画面に見入ってると、だ。

「ごらんいただいたとおり、私には武道の心得があります」

絢はいつものふにゃふにゃしたユルい感じじゃなかった。なんかよそ行きの顔でキリッとしてた。顔がいいぞ。

「ですので、どうでしょうか？」

お母さんは押され気味に笑ってた。

「絢ちゃんって前に鞠佳と温泉旅行にいったり、お泊まりした子よね。だったらそりゃ鞠佳にとって、ありがたい話といえばありがたい話なんだけどねえ」

なになに。どうやら、あたしに関係ない話ってわけじゃなさそうだ。そりゃ、絢がなんであたしに関係ない話をお母さんとしてんのさ、って話だけど。

「ねえねえ、どういうこと？」

キリッとっていうか、違うな。これ、絢は緊張してるんだ。

「君は大丈夫なの？　いろいろと大変じゃない？」

「いえ、私は、ひとり暮らしみたいなものですから」

ふたりは当事者っぽいあたしをよそに、話を進めてゆく。なんだよー。

「ん、そっか。でも、先に親御さんの連絡先は教えてね？　ちょっとお話しさせてもらうから。それでお互い納得済みならいいよ。私もね、鞠佳をひとりにするのは心配だったから。ありがとうね」

「いえ、そんな」

絢はぎくしゃくとスマホの通話を始めた。病室での通話は、２０１４年から一般患者の迷惑にならなければＯＫになったやつだ。うちは個室なので、大丈夫だろう。

スマホをお母さんに渡す絢。ちょっとしたやり取りで会話はすぐに終わった。お母さんは少し複雑そうな顔をして、絢に電話を返す。

「親御さんは大丈夫だって」

「ほんとうですか！」

絢が顔を明るくして、お母さんに身を乗り出した。その率直《そっちょく》な反応に、お母さんが苦笑いとともにため息をつく。

「でもね、絢ちゃん。くどいようだけど、言わせてもらうわね。どんなに腕に自信があっても、あなたも女の子なんだからね。世の中には本当に無茶なことをする人もいるんだから、気をつけなきゃだめよ」

「はい、ありがとうございます！」

絢が大きく頭を下げた。なんだか知らないけど、おめでとうと拍手をしたい気持ちになる。絢はその後、胸に手を当てて。

「ですが、心得ています。合気道は相手をたたきのめす技術ではなく、自衛、自重自愛のための生き方を学ぶ場所でしたから。みずから道に背《そむ》くような真似《まね》はいたしません」

なんか絢がすごい立派なことを言ってる……。後ろから頬を引っ張って本物かどうか確かめてやりたかったけど、今それをやるとあとが怖そうなのでやめた。

「ん、ならよし。それじゃあ、よろしくね。……って、いかんいかん。肝心の鞠佳の気持ちを聞いてなかったわね」

「うん、本当そうだよね。なんなの勝手に話進めちゃって。で、なんの話？」

「娘さんは、私が守ります。おまかせください」

「だから、なんなの⁉」

プロポーズか⁉　でも普通、娘さんのいないところで娘さんをくださいとか話始めないでしょ。戦国時代の政略結婚じゃあるまいし。

しかめっ面《つら》をするあたしの前、お母さんは言う。

それはある意味、プロポーズにも似た衝撃をあたしに与えてきた。

「絢ちゃん、きょうから一週間うちに泊まってくれるんだって。鞠佳もいいわよね？」

「…………………え⁉」

あたしは固まった。

絢を見る。絢はなにか使命感をたたえた顔つきで斜め上を見上げてる。ちょっと待って？

きょうから一週間、絢とうちで……共同生活？

まるで屋根を突き抜けて地球に響くみたいな声で、あたしは叫んでた。

「ええええええええええええええええええええええ⁉」

＊＊＊

「えええええ……?」

我が家の玄関には、すまし顔の絢が立ってた。どすんと置かれたボストンバッグの音によって我に返る。はっ、意識飛んでた。病院から帰ってくるまでの記憶がない。

「きょうから、お邪魔します」

スクールバッグを提《さ》げた絢は、正しく九十度背を折った。あたしは反射的に客人用のスリッパを並べつつ、内心では冷や汗が止まらない。

なに、なにこの、えっ、なにこの光景……。

待って。現実のスピードにぜんぜんついていけない。春と夏と秋と冬が一日で過ぎ去ったような気分だ。

お母さんが病院いったら手術してそのまま入院して、お父さんが帰ってきてちょっと話してまた帰って、着替えを取りに戻ったら絢がお母さんに許可取ってて、そして絢が泊まりにきて……?

イベントが一日に偏《かたよ》り過ぎじゃない……？

そして、この結果だ。

大逆転にもほどがある。これから一週間は絢と過ごす時間が減るんだなーと覚悟した矢先、まさか衣食住をともにすることになるとは……。

玄関に立つ絢がじーっとあたしを見つめてる。促《うなが》すような視線に突き動かされて、あたしもあわあわしながら頭を下げた。

「ふ、ふつつかものですが、きょうからよろしくお願いします」

「はい、よろしくお願いします」

取引先みたいに頭を下げ合って「中へどうぞ」と招き入れると、絢は「うん」とまだ緊張の色が抜けきれないその顔で、ボストンバッグを持ち上げた。

靴を脱いでスリッパに履《は》き替えた絢は、あたしの横に立って、それこそがんばってがんばって赤点を回避したような健気《けなげ》な笑顔でこうささやいてきた。

「これで、鞠佳の問題も、解決だよね」

間違いなく、クリスマスも誕生日だって、絢とずっと一緒にいられることだろう。

門限を回った帰り道だって、絢がいるなら怖いものはない。

いや、怖いよ、この状況が。

だって、絢と一週間暮らすんだよ?

やばすぎでしょ。やばすぎでしょ……。

こうして、ドキドキのふたりきり一週間、同棲生活が始まったのだった……。

第二章

我が家は、駅前から徒歩十五分という立地。住宅地のど真《ま》ん中《なか》に建ってて、セキュリティがしっかりしてる九階建てマンションの六階、３ＬＤＫの角部屋だ。

あとは特に説明するようなことはないです。うーん、廊下が長くて、お風呂《ふろ》がそこそこ広い？　人に紹介するにも印象が薄い。そんな、普通のおうちだ。

ただ遊びにきたわけじゃなくて、一週間も生活をともにするんだからということで、あたしは絢《あや》を連れておうち紹介をする。お母さんの部屋、あたしの部屋、お父さんの部屋（現物置）、トイレ、洗面所、お風呂、そしてリビング兼ダイニング。

リビングに戻ってきて暖房をつけるまでは流れ作業。そこから先は、絢と向かい合ったまま立ちすくむ。

そわそわして落ち着かない。

絢がいるからか、あたしの家が半分ぐらいあたしの家じゃないみたいだ。

「と、とりあえず、ご飯食べよっか」

「うん」

病院行って帰ってきて、もう夜八時ぐらい。食卓で絢とコンビニのビニール袋をガサゴソやって、サンドイッチをつまむ。

記憶を失ってる間に買ったらしい抹茶ラテが、なんだか少し恥《は》ずかしい。一週間絢と過ごすからって、なにを浮かれてるんだよ、榊原鞠佳《さかきばらまりか》。

こういうのはデート中とか、学校とかであって、家ではいつももっと地味な飲むヨーグルトとかだろお前。

やばい。自分を保《たも》てなくなりそう。あたし、家ではどんな風にしてたっけ。

目の前で芸能人ばりの強烈な存在感を放つ絢を意識しすぎるあまり、『絢の前でかわいく見られたいあたし』以外のあたしが、完全に引きこもっちゃってる。そして自宅でそんなことになっちゃってる自分の違和感がすごくてきもちわるい。

夜だからか、絢は普段のブラックコーヒーじゃなくてシンプルな炭酸水と、あとサラダとサラダチキン。

「い、いつもそれだけ？」

「うん。夜はだいたいこんな感じ。ひとりのときは適当なのと、夜はあんまり炭水化物とらないようにしてるんだ」

「へ、へー」

手元の菓子《かし》パンの表示カロリーをシカトしつつ、あたしは普段お母さんが座ってる場所にいる絢を、ドキドキしながら見つめる。

ほんと頭バグりそう。なんで絢がいるの？

そうか、きょうから一週間泊まるからだ。一週間て！　長すぎる！　永遠か！

しかも明日と明後日は学校だ。絢がもってきた制服は、リビングにかかってる。ここから絢と一緒に登校したり、絢と同じ家に帰ってくるのだ。

まるで姉妹《しまい》みたいだし、それよりもうちょっと踏み込んだら、もう、あれだ。夫婦関係を生じさせる法律行為の状態……そう、結婚。

——結婚してるみたいだ！

うわあああああ！

体ごと、慌てて絢から顔をそむける。なんだこれ、全身に流れてゆく血流が酸素の代わりに恥ずかしさを運ぶみたいに、指先までソワソワしてたまらない。

今すぐ枕《まくら》に顔をうずめて足をバタバタするか、床を転がりたい。心が幼児になってる。ムリ寄りのムリだわこれ。ムリ。

はー、しんどい。急に降って湧《わ》いたような理由のない幸せに、そうか、幸せって大きすぎるとプラスでも平静を保てなくなっちゃうんだなー、って思う。

食事を終え、あたしと絢はそれぞれお互いにスマホをいじってた。絢は漫画を読んでて、あたしもインスタを開いてはみるものの、見るフリぐらいしかできそうにない。

だって、一週間絢と生活するんだよ……？　それだけでキャパシティオーバーじゃない？

くっ、あたしは思わずバイト先の友達、榎本冴《えのもとさえ》にSOSのメッセージを送ってしまった。『今、絢が泊まりにきててやばい』と。けど、ぜんぜん既読がつかない。くっ、こんなときに役に立たない女……。

けどけど、生活していく以上、いろいろと決めなきゃいけないことは出てくる。恥ずかしがってるだけじゃなくて、いろいろと。そう、例えば寝る場所だとか。

「え〜〜〜っと……ど、どうしよっか、絢。今夜は」

「今夜？」

絢が小首を傾《かし》げてあたしを見つめる。うっ、なんか誤解を招くような言い方をしてしまった。待って、違う。いや、ちがくないけど！

だって、あたしと絢はただ一週間一緒にいるわけじゃない。ふたりきりで一緒にいるのだ。誰《だれ》の目もない密室空間で、一週間も、ふたりきりで……。ホテルに一日泊まるだけでも幸せでどうにかなっちゃうのに……一週間……。

一週間もひとつ屋根の下、ふたりきりで暮らしてたら、女同士とかありえないでしょと言い張る女の子も、徹底的に落とされるに違いないよ……。

「今夜って？」

絢がごく自然に促《うなが》してくるんだけど、それを受け止めるあたしがバカになっちゃってるので、あんまりにもあんまりな言葉をチョイスして返してしまう。

「ね、寝る場所！　ほら、寝るでしょ絢も！　夜になったら！」

「そうだね、にんげんだから」

「そうだよね！　にんげんだもんね！　だから、どこで寝るのかなって！」

「ええと？」

絢はさらに首を傾げる。そうだ、選択肢を提示してなかった。あたしの対人能力は今、幼児です。

「リビングにお布団《ふとん》敷いて寝るとか。あたしがお母さんの部屋で寝るから、代わりにあたしのベッドで寝るとか。あとは」

あとは。

あたしの部屋で、あたしのベッドで、ふたりで一緒に寝るとか。

急な緊張に襲われて、そこから先をするっと言えなくなったあたしに対して、絢はこともなく言い放った。

「じゃあ私、リビングで寝るね」

「えっ……!?」

それは、めちゃくちゃ意外な言葉だった。

絢なら当然あたしのベッドで一緒に寝るって言うと思ったし、なんだったらあたしの顎《あご》を人差し指でクイッとして『寝かせるとでもおもってるの？』と迫ってくるぐらいやるだろうなって思ってたのに。

「寝具はどこ？　運ぶの手伝うよ」

「う、うん」

なんだろうこの感じ。すごく気合い入れて選んだ誕生日プレゼントを「ありがとー」って言われて、他の子のプレゼントとひとまとめにされる感じ。いやいいんだけどね、って思いつつも、なんかちょっと寂《さび》しくなるような、そんな……。

あたしなんか期待してたってこと？　いや、そんな。違う違う。絢ならそうするでしょって思っただけだし。予想が外れたから拍子抜けしてるだけで、別に。

お母さんの部屋のクローゼットに入ってた布団をふたりで運び、洗濯済みのシーツと枕をリビングの端っこに寄せておく。あとはリビングの机を軽くどかせば、布団を敷くぐらいのスペースは作れるだろう。

「うん、ありがとう、鞠佳」

「はーい」

何気なく返事しつつ、ちらりと絢の様子を窺《うかが》う。絢と目が合った。

「なに？」

「いや……なんか、絢おちついてるなーって」

「そうかな？」

「うん、そう見える」

わずかな間。きょうの絢は妙にガードが固くて、表情からはなにを考えてるのかよくわかんなかった。

あたしだっていつもどおりじゃない。お母さんはいないし、絢はいるしで、ふわふわ浮ついてたけど。

それはそうとして、忘れちゃいけないことがあったんだった。危ない危ない。

「そういえば、まだお礼言ってなかったよね」

「お礼？」

「うん。あたしのこと心配して、あたしのために一週間泊まりにきてくれたんでしょ？　絢だっていろいろ予定あるだろうに、お母さんにビデオまで見せてくれて、説得して」

「ああ、うん。だって、それはそうだよ」

絢は目を伏せた。照れ隠しするみたいに、自分の髪を撫《な》でて。

「言ったでしょ、私の弱点は、鞠佳の涙だ、って」

「ん……えっ、ええ？」

かぁ～～……っと頬《ほお》が熱くなる。

「病院であたしが泣いてたからってこと？　な、なにそのセリフ……ちょ、ちょっとかっこよすぎじゃない？」

「言ってみて私もすこし思った」

「なにそれ」

笑う。でも絢の表情は、なんだか硬かった。

「私はほんとに、鞠佳と過ごせなくても十分だったんだ。けど、やっぱり鞠佳にとって記念日はすごく大事なことなんだろうなって思って。どうしても叶《かな》えてあげたかったから、私にできることはなんだろうって考えて」

自分の言葉に自分でうなずくみたいに、絢は小さくこくりと顔を縦に振って。

「考えて、とりあえずやってみた。鞠佳のお母さまと話すのは緊張したし、うまくいくかどうかは自信なかったけどね。だけど、迷惑じゃなかったならよかった」

「迷惑なんて、そんなわけないじゃん！」

絢の手を取る。いつもひんやりしてるその手に、あたしの想《おも》いが伝わるように。

「嬉《うれ》しいよ、すっごく……。絢の気持ちも、泊まりにきてくれたことも。どっちも嬉しい。ありがとね、絢！」

「なら、よかった。どういたしまして」

薄く笑った絢は、なにか決意を秘《ひ》めた顔で言う。

「だからね、鞠佳のことはちゃんと守るからね。私がちゃんと、どんなやつにも鞠佳のことを、指一本も触れさせはしないから」

絢があたしの頭を、触れるか触れないかという程度の軽さで撫でる。

「鞠佳のからだはちゃんときれいなままで、お母さまにお返しするから。なにも心配しないでね。殺人鬼が現れても、魔物が出てきても、私が撃退するから」

我が家はそんな人外魔境にあるわけじゃないんだけど、絢の言葉は嬉しかった。

「うん……ありがと」

あたしは絢の指を握って、照れてうつむきながらお礼を言った。

絢とは甘えたり甘えられたり、守ったり守られたり、大事にしたりされたりする関係でいようって決めたわけだから。

だから、きょうぐらいはいいのかな、って。

お母さんが入院して、絢との約束を破っちゃいそうになって、すごく不安だったあたしには絢の気持ちが、すごく嬉しかったからさ。

きょうは甘えちゃおう。女の子しちゃおう。

「大好き、絢」

「好きだよ、鞠佳」

抱きついたあたしの背中を、絢は優しく撫でてくれた。

優しくて、強くて、かっこいいあたしの恋人に、この胸の鼓動はずっときゅんきゅんと高鳴ってしまう。

このときのあたしは完全に恋する乙女《おとめ》丸出しで、気づかなかったのだ。

絢への好意を盛りすぎちゃったら、このあとが大変だぞ、ということに。

「ううう」

あたしは浴槽《よくそう》の中、湯船に口まで浸かってうめいてた。

いや、だってさ……ムリじゃん？　ムリじゃない？　もう。

あのあとしばらく抱き合っていたんだけど、急に恥ずかしくなっちゃったあたしが言った言葉はよりにもよって「そ、そろそろお風呂入らなきゃ！」だった。

いや、髪乾かしたりスキンケアする時間を考えたら、確かにいいタイミングだったんだけどさ。だからってこんなムードのときに言うなんて、墓穴にもほどがあるでしょ。

「ど、どうする？　あたしから入っていい？　入っちゃうね！」って言い出したのは、絢のあとの湯船に平静に入っていられる自信がなかったからだ。

さらに言えば、絢に『一緒にはいろ』って誘われたら、目をハートマークにして『はい♡』って返事をしちゃうに決まってる。危ないよ！　だって明日も学校だよ！

というわけで、あたしは絢の返事も待たず、逃げるみたいにお風呂に入ってる。

ぬるめの温度なのにのぼせそう。

「まっずいなあ……」

さらにやばいのは、そのうち絢がやってくるんじゃないかって期待しちゃってることだ。もうね、ごまかしきれないよ。そりゃ来ちゃったら困るけど、拒《こば》めるわけないじゃんそんなの……。うう。

会えない時間が愛を育てるんだっていう昔の歌があるけど、あたしに限ってはどうやら違うみたいだ。絢と話せば話すだけ、愛がぐんぐん育ってゆく。そのうち、この胸を突き破っちゃいそう。

「いや、ていうかおかしいでしょ……。だってこないだはハメ撮りなんてさせられたのに、なんでこんな初々《ういうい》しい感じになっちゃってるの……」

もうあたしたちが付き合って四ヶ月も経《た》ってるし、なんだったら肉体関係はその前からあった。(最悪)

いい加減慣れてもおかしくないはずだ。いや実際、裸を見られるのだって、一緒にお風呂に入るのだって慣れてきた……はずだ。少なくとも普段はこんなにドキドキ……はするかもだけど、キョドったり、パニクったりしないはずだ。

「だって、絢が……絢が、優しいからぁ……」

うう、恥ずかしい。

あたしってば、ほんとうに雰囲気に流されやすいんだなあ……。空気を読むスキルによって、そういうのを人一倍敏感に察知しちゃってるのかなあ。

湯船に浸かる自分の体を見下ろす。

高校二年生。そこそこ引き締まった、そこそこ見栄《みば》えは悪くなく、それなりに透き通る肌。自信があるわけじゃないけど、といってもないわけじゃない。

海とかプールとか、たいていの場所ではどんな子と一緒でも物怖《ものお》じせずにいられるし、よく褒《ほ》められたり声かけられたりする。

そんなあたしの体は、隅々まで絢の指や唇の感触を覚えてる。頭の天辺からつま先まで、そのほとんどの箇所に絢は触れたことがある。口づけしたことがある。こんなことは、お母さんだって知らない。絢だけが知ってる、あたしの体のこと。

うー。

これ以上悶々《もんもん》としてると、さすがに絢の寝る時間まで奪っちゃって迷惑かけちゃう。あたしは見えない女の子の手を引きちぎるみたいに湯船からあがって、髪と体を洗って浴室を出た。

下着とパジャマを着て、タオルドライした髪をまとめてから、リビングへ。絢を連れて洗面所をちょっと説明する。

「タオルはこの右端の棚があたしの使ってるやつだから、泊まってる間、ここらへんを勝手に使っていいからね。洗濯物はこのカゴに入れておいてね」

「わかった」

特になにも言ってこない絢をお風呂へ送り出し、あたしはリビングのソファーで卓上ミラーと美容液を並べながら、ふと視線を向けた先に絢のボストンバッグを見つけて。

そこにある着替えから漂うナマっぽい生活感に、またドキドキしてしまった。

「あー、もー」

冷水で煩悩《ぼんのう》を祓《はら》うみたいな気分で、顔面に化粧水を塗りたくる。

いつもより丹念に体を洗ったり、下着をいつものよりかわいいお気に入りのやつにしちゃったり、ほんとあたし、なにやってんだろ。

鏡の中のあたしに呆《あき》れた視線を向ける。けど、その頬は明らかにお風呂上がり以外の要因でほてってるみたいで。

……この子、恋しちゃってるんだなあ……って他人事《ひとごと》みたいに、思った。


「お風呂、いただきました」

「はやっ」

絢はものの十分足らずでお風呂を出てきた。

「いつもこんなものだよ。髪と体を洗うだけだし」

「湯船に浸からないんだ」

「うん、シャワーが多いかな」

もしかしたら下着姿でやってくるのかなとか思ってたら、絢は上下ともに中学のジャージだった。その色気のない格好はさすがオンオフ切り替えの得意な絢ー、って感じだったけど……。

ジャージはちょっとサイズが小さいから腰やおしりのラインが浮き彫りになってたり、丈が短いからスタイルの良さがクッキリだったりで、素材の良さが完全に勝っちゃってた。さすがどこにいても不破《ふわ》絢を貫く女。

濡《ぬ》れ髪の絢はいつもよりパーマの癖《くせ》が強くなってて、印象がさらに大人びてる。

「えと、ドライヤーちょっと待っててね」

「だいじょうぶ。私ももってきたから」

「そっかそっか」

絢もバッグから出した基礎化粧品をテーブルに並べ、クシ型のドライヤーを取り出した。並んで髪を乾かしてると、まるで合宿みたいだ。

「絢って、中学の頃テニス部だったんだっけ」

「うん、必ずどこかに入らなきゃいけなかったんだよ。せんぱいからは、ラケットの振り方が殺意高いっていわれてた」

「あはは、なにそれ」

「鞠佳は？」

「あたしは陸上部。走るだけだから楽かなーって思ったんだけど、思った以上に練習が大変でー。四百メートル走やってたんだけど、死にそうになってね……」

「陸上部の鞠佳、なんかいいね」

「てかね、百メートルはどんなに苦しくても二十秒ぐらいだけど、四百って一分ずーーっと苦しいのが続くんだよ。めちゃくちゃキツいのなんの。てか四百って陸上で一番キツいって言われてるらしいじゃん！　あたし騙《だま》されたー！　ってなったよ」

「でも三年間つづけたの？」

「まあね。あたしって見栄《みえ》っ張《ぱ》りだから、後輩に『先輩すごい先輩速いです！』って褒められたらまんざらでもなくなっちゃってさ。よっしゃやったるか、って意気込んでその日の練習終わりにはもう後悔してるっていうね。おだてられて木に登る豚かな？」

「鞠佳、せんぱい似合いそうだね」

「え、そう？　やっぱり？」

　確かに自分ではいい先輩してたと思う。まあ、友達の延長みたいなもんだけどね。

と、そんな話をしていたところで、ふたりは髪を乾かし終わった。

　そばにいる絢から、うちのボディソープの香りが漂ってくる。手を伸ばせば、触れられるような距離に、お風呂上がりの無防備な絢がいる。

「……」

会話が途切れて、あたしはチラチラと爪《つめ》の切り揃《そろ》えられた絢の指を見る。

そろそろかな、そろそろかな、って。

「鞠佳はいつも、十二時には寝るよね」

「うん」

「そろそろ、ベッドいく？」

き、来た。

お誘いだ……！

ごくり、生唾《なまつば》を飲み込む。

「う、うん。いこっかな」

あたしは声がひっくり返らないように注意しつつ、うなずいた。

絢を部屋にあげるのは初めてだ。アロマ臭いとか言われたらどうしよ……。いろんな匂《にお》いが混ざってて、あたしも気づいていないアレコレがあったりして……。

あたしはいろいろと持って自室へと向かう。その後ろを絢がついてくる。リビングを出た廊下は肌寒い。体が冷えてゆく。

でもこのあとすぐ……。

ううなんでこんな恥ずかしいの。

おうちってやばい。あたしがお母さんや、たまにお父さんと過ごす我が家でこれからえっちなことをするんだって考えると……うう。

部屋の前まできて、あたしはドアを開く。

ドアには『鞠佳』のネームプレートがかかってる。小学校のとき、図工の時間に作ったものだ。見慣れすぎてて風景になってたけど、これを見られることすら恥ずかしい。ホームセンターとかでもっとかわいいやつ買っておけばよかった！

「あ、あの、絢」

ドアを開き、壁際のスイッチを押して電気をつけて、振り向く。

ドキドキする……。

「うん」

絢がぴたりと立ち止まった。

まるで見えない壁があるみたいに廊下に立って、手を振ってきた。

いつもの真顔、無表情で。

「それじゃあおやすみ、鞠佳」

そのまま絢は、ぱたんとドアを閉めた。

足音が遠ざかる。ひとりドアの前、自室であたしはまばたきを繰り返した。

……へ⁉

電気を消した部屋の中、あたしはベッドで毛布をかぶって暗い天井《てんじょう》を見上げてた。

………へ？

いまだに、なにが起きたのかわからない……。

いや、だって……絢が泊まりにきてるのに、えっ？

なんであたしひとりで寝てるの？

え、なにこれ、寒い。ううん、お布団はぬくぬくして温かいけど。でも寒い。心が寒い。ベッドが広い……。

結局、絢はあたしに指一本触れることなく、リビングに引っ込んでいった。

あの絢が、だ。どうかしてる。伝染病でも発症してるの？　それとも性病？　どこかであたしの知らない誰かと？　いやいや……いやいや……。あたしもちょっとおかしくなってるぞ。

しょうがないじゃん！　だって絢が来ないんだもん！

おやすみのちゅーすらも！　なかった！

なにかを求めるみたいに、足をムズムズさせてしまう。けどそこにほしいぬくもりはなくて、ただのひんやりとしたシーツ……。

なにこれ、噂《うわさ》に聞く放置プレイってやつ？　こんなので喜ぶ人いるの？　ただただ寂しいだけなんだけど……。

いや、別にいいんだけどさ、いいんだけどさ……。絢がどういうつもりか知らないけど、気分じゃないときもあるでしょ。疲れてるとか、あるいは、なんかきょうの鞠佳かわいくないから別にいいか、って思ってるとか……は？　泣くんですけど。

妄想の絢の冷たい言葉に、あたしは勝手な憤懣《ふんまん》を募《つの》らせる。

だっていつもの絢だったら、なにも言わずに部屋に押し入ってきて、それこそあたしの体を好き放題した挙げ句、嫌だって言ってもやめてくれないのにさ。

その上で『だってこういうの、鞠佳すきでしょ？』なんて耳元でささやいてきて、違うって言ってるのに、ただセーフワードを言わないだけで『ほら、やっぱり鞠佳、すっごくよろこんでる。ほんとに鞠佳、やらしいよね』なんてデタラメばっかり……。

妄想と現実のギャップに、切なさが疼《うず》く。

だってそれは、絢があたしをそういう風にしたんじゃんって非難しても、澄まし顔。むしろ嬉しそうにテンションあげて『ほら、きもちいいでしょ。それはもともと鞠佳がやらしいからだよ。ほらね、もうこんなに……』って、言葉責めしてきてさ……。

まるで絢がそうしてくるみたいに。

「……ぁ」

あたしはパジャマの中へゆっくりと、指を潜ませてゆく。

「絢……」

毛布に包《くる》まりながら、絢のことを考える。絢の指。白くて、長くて、細くて、花びらみたいにしっとりと濡れてて。じんわりと、甘い気持ちが胸の中に広がってゆく。

「……あ……っ」

廊下を挟んでひとつ隣の部屋に絢が寝てるのに、なんであたしはひとりでこんなことをしてるんだろう、って思う。こんなのほんとに、ありえない。だってなんだか、みすぼらしくて、惨《みじ》めな気持ちになってくる。

なのに、胸と、下腹部をまさぐる手は、とめらんない。

「絢……絢……」

すんすんと鼻をすする。枕に染《し》み込《こ》んだシャンプーとトリートメントの香りはあたしのものだけど、きょうの絢はこれと同じ匂いを漂わせてたから。

やがてぬるぬると、そこが湿り気を帯びてきた。あたしの拙《つたな》い指遣いじゃ、もちろん絢と違って素直にきもちよくなんてなれない。けどすっかり期待してたあたしの体は、そんなんでも完全にできあがっちゃってた。

「ねぇ、絢……もっと……絢ってば……」

もどかしくて、じれったくて、まるで焦《あせ》るみたいにあたしは敏感な箇所をいじる。

乱暴なだけの手つき。絢は優しいくせに鋭くて、まるで快楽の神経を針で突くような刺激を与えてくれたけど、あたしはそんなのぜんぜんむりで。

だけど、指の腹を押しつけたり、つまんだり、軽く弾いたりいろいろしてみて、絢が普段かけるその十倍ぐらいの時間を使えばようやく、波間に揺られるような切ない感覚が張りつめてきて。

「あっ、あっ、あっ……絢っ……あっ、絢っ……」

ピンとつま先を伸ばし、あたしの体は硬直と弛緩《しかん》への準備を始める。ぎゅっと目をつむったあたしのまぶたの裏には、絢の意地悪で甘やかな笑みが浮かんでた。

あの子が覆《おお》いかぶさってきて、だめだめと首を振るあたしを無理矢理、火花が散って頭が真っ白になるような世界へ連れ出してくれる。

そんな都合のいい幻想に溺《おぼ》れて、あたしは絢の名前を呼びながら——。

「もう、もう、絢……あたし、もう……絢っ……」

——そのとき、ガチャ、とリビングのドアが開いた。

ひえっ。

さっきまであたしを包み込んでた桃色の霧みたいなものが、一瞬にしてかき消える。

着替えの最中にカーテンが舞い落ちたような気分だ。あたしは口をつぐんで、そんなことしても意味ないのに完全に気配を押し殺す。

廊下を歩く音。それは徐々にこっちに近づいてきて。

そ、そっか。絢……まさかこれ、夜這《よば》いってやつ……？

そういうロマンのためにわざと肩透かしをしたっていうのは、十分すぎるほどありえる話だ。あのヘンタイならそれぐらいやりかねないでしょ。

えっ、ていうかそれ、すっごくマズくない？

だって今のあたし……。

おそるおそる確認して、青くなる。もう、ぬるぬるなんてもんじゃない。これ、バニラシェイクをこぼしたみたいに、とろっとろ。

こんなの絢にバレたら、一年は冷やかされるに決まってる。絢が構ってくれなかったからってひとりでシちゃうとか、だってそんなの。

え、えっちな子じゃん……！

やだ、そんなの困る。お願いだから来ないで、こっちに来ないで、っていう祈りを込めつつ……物音に耳を澄ます。

絢はいったんトイレに向かった。かすかな水音が聞こえるとともにドアが開く。また足音。

そして絢の行く先は…………。

リビングだった。絢はリビングに帰っていった。

…………絢ぁ……。

これでよかったんだ、という安堵《あんど》する思いと、あっ、来てくれなかった！　という失望がないまぜになって、なんかもう、あたしもよくわからない……。

さすがにもう、慰める行為を再開する気にはなれなかったので……。あたしは寝返りを打って、強引にでも目を閉じた。ジンジンする体と、下半身にわだかまる熱。それに、ひとりきりのベッドともやもやした気持ち。恥も外聞も捨てて、隣の部屋にいけばぜんぶ解決することだってわかってはいるけどさ……。

そんなのできるわけないし……。

せっかく絢が泊まりにきてくれたのに、無性に泣きたい気分のままで、あたしは眠れぬ夜をうじうじと過ごしてゆくのだった。

とはいっても寝るのが人間。昨日はいろんなことがあって疲れてたせいか、気がつけばあたしは眠りに落ちてたみたいだ。

七時のアラームで目を覚ます。カーテンを開くと、晴れ模様。ピリピリとするような冷気が、ガラス越しに伝わってくる。うわー、きょうも寒そうだなあ。

どてらをはおってリビングに向かおうとしたところで思い出す。そうだ、きょうから絢がいるんだ。かわいいカーディガンにしとこ。

スリッパをはいて、洗面所へ。お湯が出るまで待ってから、顔を洗う。歯磨きも終えて、よし、と気合を入れ直す。リビングに入ると、暖房で暖められた空気があたしを出迎えてくれた。

あったかーい。

絢はすでに起きていて、しかも制服に着替えて髪までセットしてる。早っ。

「絢ー、おはよー」

「おはよ」

「ちゃんと眠れた？」

「うん」

「あー……、うん、ならよかった！」

一瞬、昨夜の出来事が脳裏《のうり》に浮かんできたけど、あたしはパタパタ手を振ってその淫気《いんき》を追い払った。新しい朝、新しい一日です。切り替えてこ。

加湿器のスイッチをオンにするけど、水がない。タンクを台所で満タンにしてから、改めてセット。スイッチオン。近くにいると水蒸気を浴びて寒いので、ソファーへと避難する。膝《ひざ》を抱えてスマホチェックしてるとだ。

「鞠佳、朝ごはんは？」

「あー、そういえば昨日、なんにも買ってなかったなあ」

「コンビニいってくるよ。なにがほしい？」

マフラー巻いてた絢に、慌てて振り返る。

「え、悪いよ、あたしもいく」

「その格好じゃ外に出られないでしょ。その間に、着替えておいで」

朝から綺麗《きれい》にしてる絢に言われると、なんか恥ずかしくなってくる……。

「……はーい」

絢はいつもと変わらず普段どおり、超マイペース。適当にいろいろ頼むと、足早にリビングを出ていった。絢ひとり送り出してあたしがごろごろしてるわけにもいかないので、寒さを覚悟してリビングを出た。

洗面所の前でヘアアイロンを構え、髪を巻き巻きする。冬場はこの温かさが癖になる。せっせと急いで前髪作りも終わる頃、絢が帰ってきた。

「ご、ごめん、先食べてて！」

一度気になり始めると、寝起きのぼけーっとした姿で絢の前に出たのが、すごい失態に思えてきた。昨夜の『なんかきょうの鞠佳かわいくないから別にいいか』の声が頭の中に響く。いや、実際は言われてないんだけど！

ちょ、ちょっとぐらいスクールメイクしておこ……。鞠佳は朝からかわいいんだね、って思われたいし……。

というわけで、毎朝のメイクスタート。時間との勝負だ。ゴー！

アイブロウで眉《まゆ》を整え、ピンクベージュのベースを薄く塗る。ちゃんと放課後まで保《も》つやつ。

リキッドファンデをのせた後、ちょんちょんとパウダーをはたく。

14ミリのカラコンはピンククリア。鏡をにらめつけるように入れて裸眼を一回り大きく盛り、ちゃっちゃとアイラインを引く。ここが一番集中しないと。

あんまり時間をかけていられないんだから、きょうは失敗するな、失敗するなよお……。よ、よし、それっぽい、それっぽい。

きゅぽっとちっちゃい筒の蓋《ふた》をあけて、ブラウン系のアイシャドウをブラシでのせる。ふんわり感を出してこう。ほんのり涙袋を作って、さて、あたし的にいちばん大事なまつげ。ビューラーでまつげを立てて、つんつんと撫でるようにマスカラ下地でカーブ効果アップ。上下のまつげにマスカラ塗って、よし、あと少し。

全体のバランスを取るようにさっさっとチークを払って、最後にリップ。

冬だからってこってり重すぎにならないよう、ミックスベリーの香り漂う優しげなピンクを塗って、んよし、完成。

いろんな角度から確認しつつ……。うん、うんうん、ちゃんとかわいい。いいぞメイク、かわいいぞ。これなら、これなら絢も！

なんか結局、そこそこ気合の入ったかわいさに仕上がった感があるけど、まあまあ結果オーライということで。

「絢ー、おまたせー」とリビングに入ってくと、とっくに帰ってきてた絢は食卓に座って食べずに漫画を開いてた。待っててくれたみたいだ。う、申し訳。

「ごめんねー」

「ううん、平気」

絢はじっとあたしを見つめる。その視線の圧に、ちょっぴりのけぞる。冷や汗かきつつ笑い、

「な、なに？」って聞き返すと。

七五三で着飾った妹を見るみたいな優しい目で、絢はくすりと笑った。

「朝からかわいいね、鞠佳」

「うっ……うん！」

そんなちょっぴりのご褒美で、あたしが動画見たり雑誌見たりして磨いたセンスやテクも、ぜんぶ報《むく》われたような気持ちになっちゃったりするのだった。

昨日の夜のことは、一方的に根にもってますけどね！


絢と向かい合って朝ごはんを食べて、お互い鞄《かばん》をもって、部屋を出る。鍵《かぎ》をかけて、一緒にマンションのエレベーターを下り、駅までの通学路をおしゃべりで過ごす。

なんでもない冬休み目前の朝。だけど、とびっきりトクベツに感じられるのは、隣に絢がいるからだ。

「きょうアルバイトだよね、鞠佳」

「あ、そうだった。絢、先に帰ってるよね？　あたし帰るの八時ぐらいになるから、合鍵《あいかぎ》渡し

てておくね」

「合鍵」

通勤通学の人で賑《にぎ》わう駅のホームで、絢にキーリングから外したマンションの鍵を差し出す。

すると絢はおっかなびっくりと、まるでいわくつきの宝石でも受け取るように鍵を取った。

その大げさなリアクションにあたしもくすぐったさを感じてしまう。

「う、うん。先帰ってて。暖房とか勝手につけて、くつろいでていいから」

「わ、わかった」

鍵をハンカチで包んで、バッグの奥深くにしまい込む絢。重要証拠品じゃないんだからね。

「駅まで、迎えにいったほうがいい？」

「ん、八時はまだ、門限的にギリセーフだから。大丈夫だよ」

「わかった、迎えにいくね。バイト先でたら連絡して」

こらこら、絢。人とコミュニケーションしなさい。

まあ、迎えに来てもらえるのは、純粋に嬉しいけどさ！

「ちなみに鞠佳、夜はまかないで済ましてきたりする？」

「特にそういうつもりはなかったけど、どうして？」

「せっかくだから、なにか作ろうかなって思って。きょうは私、アルバイトないから。台所を借りちゃうことになるけど、いいかな？」

「えっ⁉　なにそれ、いいじゃん！」

絢の手料理だ！　初めて！

そこでホームに電車がやってきた。絢は急にテンションをあげたあたしにびっくりしつつも「ん」と喉《のど》を鳴らした。

「じゃあメニュー考えておくね。なにかきらいなものとかある？」

「特にはないかな！　好きなものは絢だけどね！」

電車に乗り込みながら浮かれ気分でそんなことを言い放つと、絢も笑ってくれた。鞄についてるストラップのベンジャミンバロっくんが揺れる。お揃いで、あたしもバッグの中に忍ばせてたりするのだ。

夜は絢が手料理を作ってお出迎えしてくれるのかあ。

あーもー、幸せだなあー！

絢の甘くて優しい雰囲気に、あたしは『うわー、今夜これ絶対そうだよー……もしかして寝かせてもらえないかもなー……絢ってばもう、あたしのこと大好きなんだからー……』と、幸せな期待に胸を膨らませてゆくのだった。

なんかまるで新婚みたいな軽い足取りで教室に到着。絢と別れてそれぞれの席へ。あー早く学校終わんないかな～～～～って顔に出さずニマニマしてると。

三人のクラスメイトがやってきた。ん？

そこにいたのは鞠佳グループではなく。

「おつおつ、鞠佳」

パリピの女の子、西田玲奈《にしだれいな》だ。別に西田に話しかけられるのは珍しいことじゃないけど、なんで後ろにふたり連れてきてんの。西田自身が身長１６０後半ぐらいあるから、威圧感すごいんですけど？

「西田おはよー」

気にしてない態度で軽く手を振る。強者《きょうしゃ》の風格が漂う西田は、大人カッコイイ系ファッションのクラスリーダーって感じ。不破絢が月の女王なら、こっちは太陽の女王だ。しかも現役《げんえき》モデルだからね。テレビだって出たことあるらしい。存在感が強い。

背が高くて細くて眼力《めぢから》があり、常に四、五人の取り巻きに囲まれてるから、あんまり他グループとは接点もたないんだけど。

「なに？　なんかあった？」

取り巻き……もとい友達の岸波《きしなみ》と戸松《とまつ》は、あたしたちの顔を交互に見てる。いや、これどう考えても玲奈がしゃべるタイミングでしょ。あたしは怪訝《けげん》な顔をして首を傾げる。

すると、岸波がじれたみたいに間に入ってきた。

「いや、てかさ、最近なんか榊原って影薄いよねって話。ぶっちゃけ、存在感なくなってきてるっていうかさ」

「あ、それわかるわかる」

戸松が手を叩《たた》いて笑いながら同意する。

おいおい、急に絡《から》んできて牽制《けんせい》のジャブか？　西田ならともかく、量産型西田のあんたたちに言われる筋合いはないぞ。確かにうちのグループに絢が入ったから、絢ばっかり目立つようになってるってのはわかるけど！

けど。

「そーかなー？」

って西田が声をあげると、岸波と戸松はビクッとして彼女を見やった。

「玲奈さんは、鞠佳最近キレイになったって思うけどなー。そのカラコン、新色のやつでしょ？　どんな感じ？」

「あー、うん。こんなんだよ。光の下でも自然な感じ。西田にはもっと明るいブラウン系がいいと思うけどね」

「言えてる、それアリ。鞠佳、玲奈さんのことわかってるじゃんー。やっぱりなー、鞠佳だけは玲奈さんのことわかってるって、常々思うからなー」

「あはは、なにそれ」

腕組みを解いて笑う西田と、フォローさせてしまって気まずそうに顔を見合わせる後ろのふたり。よくわかんないけど、女王の尾を踏んじゃったようだ。ご愁傷《しゅうしょう》さま。

「てか、ひょっとして、カレシとかできた？」

「えっ？　いや、それはないよ。ないない」

「焦ってるの怪しーんだけど？」

それは、できたのがカレシじゃなくてカノジョだからだよ！

絢が前にカミングアウトすると言ってたのを思い出す。とりあえず友達関係に打ち明けるってことで納得してもらったんだけど、当然、あたしが自分から『絢と付き合ってるんスよ』とか言い出すのムリなんで、適当にはぐらかすことにした。

「ま、いーや。実は玲奈さん今、カレシと別れちゃって。フリーでさー」

「ああ、例のカメラマンの？」

「そいつそいつ。高校出たら結婚しよう！　俺《おれ》がお前を一生幸せにするから！　とか言われちゃってさ。いや、ナシでしょその年から専業主婦とか。ふつうに大学行くし、めっちゃ働くってーのー」

「ああーそういうがんばっちゃう系の人。あたしはキライじゃないけど」

「悪いやつじゃなかったんだけどさー。価値観違うから円満にお別れさせてもらってね。ま、あいつならすぐに次のかわいいかわいいお姫様が見つかるよ。んで、ここからが本題ってか」

西田が意味深にこっちを見下ろしてくる。その視線に、あたしは思わずドキッとしてしまった。まさかとは思うけど、えっ？

ふと、教室にやってきた白幡《しらはた》ひな乃《の》と目が合った。ひな乃はふたつ結びにして前に垂らした髪を、なんとブルーカラーに染めてる女だ。うちの高校の校則フリーダムさを象徴した存在かつ、原宿のカリスマショップ店員である。

ひな乃はあたしをじーっと見て、事情もわかってないくせに親指を立てて深くうなずく。お前は女をたぶらかせる女だぞ自覚しろ、という目をしてた。

いやいや、待って。違うでしょ絶対。

だってこんな教室で、取り巻きふたり連れてきて面前で告白とか、ありえないでしょ！　どんな顔して絢に会えばいいのよ！

西田はニカッと笑う。

「あんさ、ちょっと付き合ってくんない？」

「付き合うってどこに⁉」

ガタッと机に手をついて立ち上がる。

西田はちょっとのけぞった後に、その一言を告げてきた。

「合コン」

あー……。

うん、はい、ですよねー。

鞠佳さん、ちょっと基準がパーになってたよね。おかしいな、ついこないだまではあたしも西田側の女だったんだけどな。なんで最近女同士がむしろメインみたいになってるんだ？　だいたい絢のせい。椅子に座り直す。

「ね、いーでしょ、鞠佳がいないとアガんなくてさ。いや玲奈さんひとりでも盛り上がるけど、でもさらに万全を期すためにっていうかさ、ピンチヒッター。ね、どう？」

いやームリでしょ、恋人いるのに。

とか言い出すと、誰？　どんなやつ？　みたいになって、最終的にあたしがウソつくような流れになっちゃいそうだから、ムリめな雰囲気出しつつ西田を促すことにした。

「えーっと……いつ？」

「十二月二十四日でひとつ」

クリスマスイブだ。絶対無理。断りやすくて逆に助かるまである。

「ごめん、さすがに先約ある」

手を合わせて頭を下げる。

すると、なぜか後ろのふたりがホッとしたような顔をしてた。……そういや、西田グループってけっこう人数多いのに、なんでわざわざあたしを誘いにきたんだろ？

みたいなことを考えてると、西田が顔を近づけてきて。

「え？　でも鞠佳ってカレシいないって言ったよねー？　玲奈さんに虚偽の報告したワケ？それー」

冗談めかした言葉だが、西田の目は笑ってなかった。断られたからって急に不機嫌になって狼《おおかみ》みたいな目をするのやめてほしい。こわいから。

両手をあげてどうどうと西田を落ち着かせつつ。

「あたし、友達とクリスマスパーティーするんだ。知り合いのお店でね」

「へー、友達と。じゃあそこで狙《ねら》ってる感じ？」

「あはは、まあそういうこともあるかもね。でも残念、女の子だけの女子会クリスマスだから、今年は」

「女だけでとか、それ寂しくないー？」

西田はごくごく当たり前に、眉根《まゆね》を寄せた。

確かに、って思う気持ちもある。西田みたいなのがそう返してくるのも当たり前だろう。ていうか、あたしだって半年前まではそう思ってた。

なんだろ、あたしこういうときはなんて言ってたんだろ。

たぶん、バカみたいに笑って『だよねー！』ってノリを合わせてたと思うんだけど。今はなぜかそれができなくなってる。これって進化？　退化？　わからない。とりあえず「いやあ、あたし友達大好きだしね！」って言い張ってみた。事実事実。

西田はぜんぜんわからないって顔をしてる。

「っても、高二のクリスマスだよ？　友達とパーティーなんていつだってできるじゃん？　イベントデーを浪費しちゃっていーの？」

浪費とまで言いますか！

無神経で無遠慮な物言いだけど、この学校では、ってか世間一般でもそれがフツーの考え方なのかもしれない。

空気を読んで無難に人気者的な行動をするなら、ここは柔らかく折れてウケ狙《ねら》いにいくべきだと、あたしだってわかってる。

わかってるんだけど。

「いいじゃん別に。ていうか、大切な友達と過ごすクリスマスと、見ず知らずの男にヘラヘラ笑って過ごす合コンクリスマスと、どっちが幸せかは人それぞれでしょ」

あたしの口からついて出た言葉は、ややトゲ付きで。

「は？　なにそれ」

西田がすっと目を細めた。

「ヘラヘラってなに？」

やべ、と思ったときにはもう遅い。

だって正面切って、西田を否定しちゃったわけだからね。しかもよりによって、取り巻きの前で。やっちゃったね。

ま、やっちゃった以上、もう後には引けないか！

「だってしょうがないじゃん？　西田の知り合いなんて、やばいぐらいスペック高い連中なんでしょ。そんなの緊張しちゃうって。なに話したかもわかんなくなっちゃうってか。それだったら、あたしは友達と遊びたいし。百パー楽しいのわかってるからねー」

西田は再び腕を組む。

「鞠佳さ、守りに入りすぎじゃない？　玲奈さんも友達大事だけど、そーゆーんじゃなくて、クリスマスどーするかって話じゃん。ま、先約があんなら仕方ないけどさー？」

周囲からの注目が集まってきたこともあり、西田があっけらかんと笑う。

言いたいことだけ言って、ちゃんと我を通してあとは身を引く。この辺りの感覚、西田はあたしと似てる。あくまでもポジションを気にして立ち回るところだ。

焦土《しょうど》になるまで戦ってやろうじゃん、っていうのが絢やひな乃。恐怖しかない。

まあまあ、お互いこの程度の痛み分けで終わるんだったらいいんじゃないでしょうか、とあたしは胸を撫で下ろす。

クラスの人気者枠を維持するためには、時として戦わなきゃいけないときはある。けど、別に戦うのが好きなわけじゃないからね！　必要だからやってるだけ！

「じゃ、クリスマスもし予定変わったら教えてねー」

ひらひらと手を振る西田。取り巻きを連れて去ってゆく。あたしは「おー」とゆるい返事をして、なんとなく取り繕った感じでその場は終えた。

のだけど。

「鞠佳、クリスマスパーティーの打ち合わせしよ」

と、やってきた知沙希《ちさき》が、まるで当てつけのようにそんなことを言い出した。

ち、知沙希ぃ！

知沙希と西田は犬猿の仲だ。詳細は知らないけど、高一の頃、ガチでやり合ったらしい。西田が振り返ってきて、こっちを睨《にら》んでくる。

ほら反応されたじゃん！

「は、なに急に出てきてんの？　キモ」

「マリが品のない女どもに絡まれてたから、心配になってさ」

「ワケわかんないし。あんた呼んでないから。はあ、うっざ。鞠佳、付き合う友達選んだほうがいいとおもーよ」

「ははは……」

雰囲気悪くするだけ悪くして、岸波と戸松を連れた西田が席へ戻っていく。知沙希が舌打ちした。

「女同士がどうのこうのとか、こっちの勝手だろうが。ったく、ユメが聞いたらまた面倒くさいことになるっての」

「あー……まあそこはね」

知沙希はクラスメイトの女の子、悠愛《ゆめ》と付き合ってる。だから口出してきたのか。

でもまー、あたしたち女子高生が学校で過ごす以上、そこらへんはうまくやってくしかないよね。これは諦《あきら》めっていうか、学校というシステムに対する納得。だって少数派なのは間違いないんだし。

『空気』っていうのは要するに、多数派による数のパワーだ。それを味方につけることが追い風になるのであって、自分の力だと勘違いしちゃうのはちょっとよくない。

ま、中には絢みたいに空気そのものを従える特例がいるんだけど。だからカミングアウトなんて発想が出るんだよあの子は。

てか、知沙希も普段はそこらへん気を遣って過ごしてるんだから、今カッカしてるのはこれ、やっぱ西田へのムカつきだろう。

「でも知沙希、あたしまで仁義なき抗争に巻き込まないでよー……？」

「あっちが仕掛けてこなきゃね。てか、変わったね、マリ」

「え？　なにが？」

知沙希はしかめ面を笑顔に変えた。

「いや、ああいうとき、マリって基本相手に合わせてたじゃん。波風立てないようにってさ。

それでうまくやってたから、あーそういうタイプのやつなんだって思ったし、それで不都合なかったしね。でも、最近は言いたいこと言ってるんじゃない？」

「え、そう？」

あんま自覚ないな。だってあたし、前から言いたい放題だし？

「西田に反発するまでのことはしなかったでしょ。だから、なんだろね。不破と付き合って変わったよあんた。あいつのこと、よっぽど好きなんだろうなってさ」

後半は声を潜めて、あたしだけに聞こえるように言ってきた。

へ？　なんでそうなるの？　そりゃ確かに絢には好き勝手言うようになったけどさ。

ちらりと教室の隅、席に座って教科書を広げてた絢の後ろ姿を見る。

「うーん」

自分じゃよくわからないけど、知沙希が言うならそうなのかな……。

まあ、いいか。一応は知沙希もあたしのことを心配して助けにきてくれたんだろうし。ここはちょっと雰囲気軽くしとこ。

「にしても、知沙希がこんなにあたしを愛してくれてたとは、思わなかったよねー」

ニコニコと言うと、知沙希は照れて憮然《ぶぜん》とした顔。

「ま、一応は？　友達だしね」

「また悠愛にジェラシー妬《や》かれちゃうなー？」

ややウザ絡みっぽく。

そしたらなんか、知沙希はあたしの顔をじっと見つめてきたりして。

「え？　なに？」

「マリってさ、恋人を束縛とかしなさそうだよね。お互い会ったそのときに楽しければいいじゃんって思ってそう」

「急になんなの。まあ、そうかもだけど？」

「マリ、絢と別れる予定とかない？」

「やめてくんない⁉」

なにノリで口説《くど》こうとしてきてんの⁉　そんな複雑な人間関係構築するとか、絶対に嫌だからね、あたし！

するとようやく知沙希は種明かしするみたいに笑った。

「ウソウソ。だってマリ、わたしのタイプじゃないし」

あんたの好みとか知らんわそんなの！

　雰囲気悪くなったしやばいかなって思ったけど、次の休み時間の西田は、あたしとふつーに世間話をしにやってきた。『あたしなんとも思ってませんから？』アピールだ。西田のそういうとこ好きだよ。引きずらないあっけらかんとした器のデカさね。

外交上手はさすがグループリーダーの立ち回り。こいつ本当あたしと根っこの考え方似てるなって、常に思うもん。知沙希とは、終始目も合わせなかったけど！


　学校生活も平和に終わり、放課後はバイト先のファミレスへ。

「おつかれーっす」って休憩室に入るなり、スタンバイしてた冴によって、あたしは更衣室に引きずり込まれた。

「ひい、刺される」

「返答によっては」

　マジか。

　冴はすごい剣幕でスマホを突きつけてくる。そこにはあたしが放置してたSOSのメッセージが貼《は》りつけられてた。あ、いろいろあって忘れてた。

「なんなのこれ、なんなんですか、なにしてくれてんですか、わたしの睡眠時間削って楽しいですか？」

「ごめんね、でもあたしもなかなか寝つけなかったから、おあいこじゃない？」

「のろけとか聞きたくないですけど！」

　なにか勘違いしてる冴が顔を真《ま》っ赤《か》にして耳を塞《ふさ》ぐ。

見た目は清楚《せいそ》系のお嬢様っぽいのに、相変わらず騒がしい。一個上の高校三年生、榎本冴は以前絢といろいろあって、あたしともいろいろあったんだけど（雑）、今はお友達してる。少なくとも、冴と絢が仲直りするまでは付き合うつもり。

「いやー……だったらよかったんだけどねー」

ははは、とあたしは寂しげに笑う。

「違うんです？」

実はお母さんが入院しちゃってさ、という絢が泊まりに来た経緯を打ち明ける。冴はふんふんと親身になって聞いててくれた。基本は優しくて素直なんだよねこの子。素直すぎてよく暴走しやがるけど。

「そういう感じで、なーんか絢がなんもしてくれなくて……」

あっ、思い出したら、テンション下がってきた……。絢が泊まりにきたのに、ひとりでシちゃうことになったりして……。

「なんでかなあ、冴」

「わたしはあの顔面国宝女じゃないからわかんないですけど、どうせ浮気《うわき》じゃないですか？」

「いや、それはない」

「断言するの早くないです？」

「だって絢、あたしのこと好きだし」

「鞠佳ちゃんはあの顔面国宝女が中学時代どんなにモテてたか知らないからそういうこと言えるんですよ」

「人の恋人を容貌だけみたいに言わないでもらいたい」

ツッコミつつも、絢の過去話にはつい耳を傾けてしまう。

「でも絢って、友達もいなかったぐらいなんでしょ」

服をファミレスの制服に着替え始めたあたしの横、冴も同じように着替えながら。

「なに言っているんですか、鞠佳ちゃん。女子っていうのはですね、友達がいなくても彼氏ができる生き物なんですよ」

「嫌なことを言うやつだなあ！」

絢の容姿に惹《ひ》かれて群がってゆく、のべつまくなしの男女を想像してしまう。

そりゃ、あんな美人が毎日ひとりぽつんといたら、ワンチャン狙った人が告白してきたりするだろう。絢自身も言いふらすタイプじゃないし、コミュニティもないから周りにバラされてフラれたって噂されることもないし。めちゃくちゃ安牌《アンパイ》では。

「うーん、都合のいい女、不破絢……」

「そうですよ、問い詰められても言い訳なんてぜんぜんしないんですから……そんなだからわたしだってあの女がたぶらかしていると思ってつい教室に乗り込んで」

「反省しろ」

「すみません」

冴は深々と頭を下げた。その点に関しては永遠に言い続けるぞあたしは。

「まあ、冗談はいいとして……」

あたしに睨まれて冷や汗をかきつつ、冴は慌てて話を戻す。

「そうですね、もし自分だったらって考えるとー……鞠佳ちゃんには、なかなか手を出しづらいんじゃないでしょうか？」

「え、なんで？」

「だって、お母さんが入院して、その助っ人として泊まりに来たんでしょう？　友達のフリをして、恋人だってことを隠して。だから、罪悪感が生まれたりしているんじゃないですか？　不純同性交遊ですし」

いや、そんな言葉ないし……えー？

ぷちぷちとシャツのボタンを外す冴をじーっと見つめる。

何度見ても胸がでかい。じゃなくて。

「絢がそんなこと気にするかなあ」

「確かに不破絢はふてぶてしいし、わが道をゆくタイプで、どんなときも心乱されることなく、その一万年にひとりと称される絶世な美貌を武器に、ありとあらゆる女という女を食い散らかしては惚《ほ》れさせて、不破絢帝国を築き上げるほどの妖婦ですけど」

「誰よそいつ」

「築き上げるほどの妖婦ですけど」

なおも冴は真面目《まじめ》に繰り返す。あんたの絢観そんなんか。現実を見ろ。

「わたしの見てる限りだと、鞠佳ちゃんのことは特別に思ってるみたいですし……たぶん、鞠佳ちゃんだけは大切にされているんじゃないですか」

だけはって言葉をやたらと強調しますねこの子。

あたしは上目遣《うわめづか》いで冴を見やった。

「……だから、手を出してこなかった、って？」

「わかんないですけどね」

冴はむくれつつ、制服に着替え終わる。淡い青でまとめられたギンガムチェックのエプロンスカートと、白いブラウスが印象的な、清潔感たっぷりの制服なんだけど、冴が着るとそのボリュームたっぷりな胸が強調されてちょっぴりエロい。

「ていうか鞠佳ちゃん、わたしに不破絢の相談するとか、さすがにデリカシーないんじゃないですか？」

「そう？」

「ええ。わたしは不破絢を刺そうとして、投げ飛ばされた女ですよ。お互いにとって忌《い》まわしき存在ですよ。確かにだからこそ誰よりもおそらく世界で一番核の部分で不破絢をわたしだけが理解しているとはいえ……」

いや絢は帝国を築き上げたりしないけどな……。

「え、じゃあ忌まわしい存在だからクリスマスイブのパーティー来ない？」

「意地悪じゃないですかそれはっ！」

子犬みたいな悲鳴があがった。あたしはニヤニヤする。

「ごめんごめん、でも相談のってくれてありがとね」

「むう、別にいいですけど。……だいたいわたし、そのために店長のクリスマスライブのお誘い、断ったんですから」

「あ、そうなの？　他に予定あったんだ。ごめんごめん。じゃあやっぱり」

「行きますってばっ！」

イジめてごめんな冴ちゃん。でも冴イジりはあたしの癒《い》やしだからやめないね。

あたしも着替え終わって、ヘアゴムとアメピンで髪の毛を後ろにくくる。

「ていうか店長、クリスマスライブとかやってるんだ。あたし誘われなかったなー」

「わたしが鞠佳ちゃんと用事があるって先に言ったからですね。他のバイトの子はほとんどそっちにいくみたいですよ。また店長のピアスの穴が増えるかもしれませんね」

「なにそれ？」

「店長、女の子と付き合うたびに、自分の耳にピアスの穴を空けさせているそうですよ」

「な、なにそれ……」

なんかすごい。相手に傷を刻むんじゃなくて、自分に傷を刻みつけさせるってこと？　エグい……どういう性癖なんだ……。

「え、てかそもそも店長もそっち系なの？」

あたしたちの会話は店長の話にスライドしていった。

冴に話を聞いてもらったからか、あたしの心はずっと軽くなってた。

だって、絢があたしを大切に思ってくれてるなんて、そんなの知ってるし、すごく納得できる話だったからだ。

それならそうと言ってくれればいいのになー、絢ってば。

というわけで、ハキハキ働いてきましょうか、本日も！

バイト上がり、「きょうは普段より元気で声も出ていたし、いい笑顔だったぞ」と店長に褒めてもらえました。そりゃそうですよ、だってあたしを大切に思ってくれてる恋人が、おうちで待ってるんだもの！

＊＊＊

「たーだいまー」

駅まで迎えに来てくれた絢と一緒に、マンションに帰ってくる。

あたしは手早く靴を脱ぐと、後ろからやってきた絢に両手を広げる。

「そして……おかえり、絢！」

絢はちょっとびっくりしながらも、恥ずかしそうにつぶやく。

「た、ただいま……鞠佳」

「うんっ」

じーんと感動しちゃう。おうちに恋人と一緒に帰ってくる生活……。ああ、これが幸せなんだ……。せっかくだからただいまのちゅーとか、ちゅーとかする？

なかった。絢はあたしの横を通り過ぎて「ごはんできてるよ」と言って、リビングに入っていった。ふふ、あやつめ、照れてるんだな。今のあたしは余裕いっぱいだから、別にいいよそれぐらい。

玄関にキチンと揃えて置いてある黒のローファーを見て、ほっこりする。絢の靴と隣合わせにあたしの靴を並べて、浮かれ気分でリビングへ。

暖房がついて暖かいリビングには、ミルクの香りが漂ってた。

「わ、なんだろ？　クリームシチュー？」

「正解。用意しておくからきがえておいで」

「はーい」

冷え切った自室で凍《こご》えながらも部屋着にお着替え。大きめのセーターと、ボーダーパンツ。それに厚めの靴下をはいて戻ってくると、食卓の上にはクリームシチューとバゲット、それにポテトサラダが並んでた。

「わー、すごーい。絢の手作りだー」

「フランスパンは買ってきたやつだよ」

「いやわかるから。うちにパン焼き器とかないし」

小ボケを処理しつつ、絢の向かいに座る。えへへ、おいしそう！

「すごいなー、絢って料理できるんだー。あたしはたまにお母さんの手伝ったりするぐらいで大したもの作れないから、尊敬しちゃうなー」

「レパートリーすくないけどね。たまに自分のぶんを自分で作るぐらいだから」

「えっへっへ、手料理手料理ー。いただきまーす」

野菜のいっぱい入ったクリームシチューをスプーンですくって食べる。うん、甘くておいしい。たくさんブロッコリーが入ってるのは、絢の趣味かな。

「んー、おいしい！　バイトでお腹《なか》へってたから、いくらでもいけそう！」

「明日の朝ごはんぶんぐらいはあるから、いっぱいたべていいよ」

「わーい」

手を叩いて大げさに喜ぶ。あー、幸せだなあ。

あたしがおいしそうに食べる姿を見て、絢はいつもより柔らかい笑顔を浮かべてるし。あたしは絢の手料理がおいしくて幸せ。絢もあたしがおいしそうに食べる姿を見て幸せ。なんて（あたしに都合のいい）ウィンウィンの関係！

シチューをバゲットですくって食べたり、余ったらしいじゃがいもで作ったポテトサラダをつまんだり、楽しい食事の時間を過ごしてると、だ。

ピンポーン、とチャイムが鳴った。

「あ、叔母さんかな。そういえばきょう、様子見に来てくれるって言ってたんだ。ちょっといってくるね」

「あ、うん。ご挨拶《あいさつ》したほうがいいよね」

どうなんだろって思ったけど、まあそうかな。お母さんから話は伝わってるはずだし。そだね、って言って席を立つ。

インターホンで確認。やっぱり叔母さんだ。マンション入り口のオートロックを外してしばらく待つと、改めてチャイムが鳴った。

玄関のドアを開くと、叔母さんは「やほ」と手を上げてきた。カーキ色のトレンチコートをはおって、さっぱりと髪を肩のところで切りそろえた若々《わかわか》しい女性だ。叔母さんはお母さんの妹だから三十後半のはずなんだけど、まるで二十代みたいに見える。

「わざわざすみませんー！」

「ううん、いいの、近くまで来たついでだから。でも姉さんは心配しすぎよね。鞠佳ちゃん、もう高校生なんだもの」

「ですよねー」

叔母さんは昔からあたしをなんとなくひとりの女性扱いしててくれて、それが嬉しいような照れるような。

そこで叔母さんはあたしの隣に目を向けて。

「はじめまして、こんな綺麗なお友達が一緒にお泊りしてくれるなんて、よかったねえ、鞠佳ちゃん」

「不破絢です。お世話になってます」

絢が礼儀正しくぺこりと頭を下げた。

「うん、すっごく強いんだって？　すごいねー。私もね、鞠佳が生まれたとき、なにか格闘技習わせようよって言ったんだよね。かっこいいから。でも姉さん、怪我《けが》されるの怖いって嫌がってね。でも君を見てると、やらせておけばよかったなーって思うよ」

そんなことあったんだ。確かに絢っていつも姿勢がいいし、体も引き締まってるから、あたしもやっておけばよかったかな、なんて思う。

「そんな、私はぜんぜん」

恐縮する絢にハッハッハと笑って、叔母さんはビニール袋を差し出してくる。

「ま、とりあえずきょうは玄関先で失礼するよ。車を飛ばしたら二十分ぐらいで駆けつけられるところに住んでるから、なにかあったら言ってね。はい、これお土産」

そこにはカロリーメイトとウィダーインゼリーが入ってた。心配をしてくれるのはありがたいけど、まるで締め切り前の漫画家みたいな食生活じゃない？

ほんとに顔だけ見に来たのか、それで帰ろうとした叔母さんを、絢が引き止めた。

「あの」

「うん？」

まるで懺悔室《ざんげしつ》で告白するみたいな真剣さで、言い放つ。

「鞠佳さんは、私が守りますから。ご安心ください。絶対に、守りますから」

一瞬きょとんとした後、叔母さんはぷっと吹き出した。

え、なにこれ。あたしが恥ずかしい。

「あんまり気を張らないでいいんだよ。でも、ありがとね。ていうかまるで、お母さん娘さんを私にください、みたいじゃない？　今時の女子高生って仲いいんだねー」

ひとしきり笑った後、叔母さんは「じゃーねー」と言って、去っていった。

「あの、絢……」

照れて絢を見やると、絢もまた頬を赤く染めてた。

「……うん、がんばるから、私」

踵《きびす》を返して、そそくさとリビングへ戻る絢の後を追う。

「でも叔母さんの言ってる通り、あんまり張り切らなくてもいいよ。あたしは絢が泊まりにきてくれて、すっごく楽しいし」

「……」

え、なんでそこで黙るの？

食卓に戻って向かい合うと、絢の表情は硬かった。

「ね、絢、どうかした？」

「なにが？」

「いや、なにがって、空気が寒々しいっていうか……お腹痛い？」

「ううん、だいじょうぶ」

あんまり大丈夫っぽくない顔で言われてもなー。あたしは食卓の上に置いた手を、絢に向かって伸ばす。

「ほら、絢。て、おてて」

「……いや、それはだめだよ、鞠佳」

正面から拒否られた。えっ⁉

「なんで⁉　あたしなんかした⁉」

「う、うん、そういうわけじゃない。でも、私は鞠佳のお母さまに誓ったから。ちゃんとしないと、って」

絢は敵兵に街を包囲された絶体絶命の司令官のような深刻さで、語り出す。

「私は、鞠佳を守るの。そんな私が雑念をいだくのは、よくないから。だから、よこしまなきもちは封印」

「う、うん」

「そういうわけだから」

「……えーと……いやごめん、よくわかんない」

絢はリンゴを握りつぶすみたいに、拳《こぶし》を固く握った。

「どんな悪漢暴漢《あっかんぼうかん》、悪辣非道《あくらつひどう》な輩《やから》が現れたとしても、私は鞠佳を全身全霊守り抜くよ。私の力はそのためにあったんだ。きょう、この日のために」

「現代日本だぞ！」

燃えてる絢を揺さぶる。目を覚ませ！

冴との話では、絢は罪悪感を抱いてるって話だった。

でもこれ、ぜったい違うでしょ。張り切るなんてレベルじゃないし。どうしてこんなことになっちゃったの。

「絢ってそんなんじゃないじゃん！　もっとこう、のらりくらりとマイペースに生きてるじゃん！　責任感とか、使命感とかと無縁で……だから……」

　あたしの語気が弱くなってゆく。

　絢はあたしを特別に大切に思ってる。それはわかる。そして絢は特別な相手に対して、ポンと百万円出してもまったく惜しくなかったりするようなやつだ。スイッチ入るともともとこうなっちゃう女だったわ。

「じゃ、じゃあこの一週間、あたしとはなんにもしないってこと？」

　深く重く静かにうなずく絢。

「お母さまに誓ったから。私はけっして鞠佳に手をださない。この一週間は、鞠佳を守るだけの兵器になる」

　なんてこった。あたしは一週間恋人と同棲生活だと思ってウキウキしてたのに、一緒にいたのは実は兵器だったらしい……。

　え、ふつーにがっかりなんだけど……。

　空に描いた夢の暮らしが、どんがらがっしゃんと崩れてゆく。

　どうすればいい、どうすればいいんだ、あたしは。

「だから鞠佳はなにも心配しないでいいからね。普段どおりにすごして。私は鞠佳の生活リズムを維持するために、粉骨砕身《ふんこつさいしん》、尽力するから。それが私の誓約だから」

「えー……」

細く小さな悲鳴があたしの口から漏《も》れる。

「甘えたりとか、甘えられたりとかは……？」

「節度をたもってくれたら」

風紀委員じゃないんだから……。

あたしたちは一旦《いったん》食器を下げて洗った後、再び食卓で向かい合う。

だって諦めきれないもん……。一方的に、痴話喧嘩《げんか》のゴングを鳴らしてやる！

「絢がそんなよそよそしくしてたって、誰もトクしないじゃん！　絢だってやりたくてやってるわけじゃないでしょ⁉」

「私はやりたくてやってるよ。鞠佳の護衛として泊まりにきた以上、それを遵守することがお母さまにたいする誠意だとおもってるから」

「頭固すぎでしょ！　いいじゃん別に！　こんな機会めったにないんだよ⁉　一週間一緒にいるなんて高校最後のチャンスかもしんないのに、みすみす保護者してるだけでいいの⁉」

そう言うと、絢はさまざまな感情を瞳《ひとみ》の奥に押し殺したまま、うなずいた。

「いいよ。私は後悔しない。鞠佳がだいじだから」

「わ、わからずや……」

「べつに、わかってもらえなくても構わない」

論理で語る絢と、感情で語るあたしが、バチバチにぶつかりあう。

そりゃ『正しい』のは、絢なのかもしれない。でもあたしは、納得なんてできない……。そんなのどうだっていいじゃんか……。

ここにレフェリーの可憐《かれん》さんはいない。あたしはあたしの幸せのために、絢を説得しないといけない。でもこうなった状態の絢を正攻法で言い負かすのは、難易度無限大だ。そもそも、あたしは普段から絢に口で勝てない……。

だったらどうするか。決まってる。搦手《からめて》を使うのだ！

「……へー、そっかー、ふーん。絢はあたしとイチャイチャしたくないんだー」

半眼でじーっと見つめると、絢はちょっと困ったように眉をひそめた。

「だれもそんなこと、言ってないでしょ」

「だってあたしのきもちよりも、お母さんに一方的に誓った約束のほうが大事ってことでしょ。だったら別に、それほどでもないってことじゃないのー？」

「鞠佳、ずるい言い方するね」

糾弾され、目をそらす。わかってるけど！　でも、あたしが絢に勝つためにはあくまでも感情部分をツンツンしてゆくしかない……。

「あたしは絢が泊まりにきてくれるっていうから、すっごく嬉しかったのになあー」

「私だって、鞠佳といっしょにいられて嬉しいよ」

「えーほんとかなあ。だって絢、あたしと別にそういうことしたくないんでしょ。あたしは嬉しかったのになあー」

絢が本当に『うん、別にしたくない』とか言い出したら、あたしは虚無の顔で泣き濡れる夜を過ごすことになるんだけど、別にそんなことはなかった。よかった。（本心）

「したくない瞬間なんてないよ」

それはそれでこわいけど⁉

ちょっとムッとして言う絢に、あたしは大げさなため息をついてみせた。

「でも言葉だけじゃなあ。実際絢は一週間、なにもしてこないって決めたわけでしょ。なんか、それって寂しいなあ、って……」

「私は忍耐と一度決めたことはやりとげる意志を、武道から学んだから」

マジか。武道とかやってなければよかったのに……。でもそれだと絢がうちに泊まりにきてくれなくなる。ちくしょう。

「ていうか」

絢はあたしをじっとりと見つめて。

「鞠佳、そういうの期待していたの？」

「えっ？」

不意をつかれてドキッとしてしまった。

「ま、まあ、そうかな？　うん、期待していたような、期待してなかったような。そういうことってどういうことかよくわかんないけど？」

「いやらしいことだよ」

あたしは顔を熱くしつつ、そっぽを向く。

「まーうん、なんだろうね、絢が泊まりにくるんだったら当然そういう展開になるものだと思ってたし？　だったら、しょうがないかな、みたいな。絢が求めてくるなら、してあげるのも、恋人の務めだし、ね」

「どうなの？　鞠佳」

絢の視線はあたしを捕らえて逃さない。いや、実際のところ、ここであたしが首を縦に振ったら、絢はしてくれるんだろうか……？　してくれそうな気がしてきた……！

だって、絢はお母さんと『鞠佳とはエッチしません』って約束したわけじゃないんだから。勝手に禁を立てたのは絢なんだから。

なんだかんだ、絢ってばあたしに甘いし！　よし、あたしはこほんと咳払《せきばら》いをした。

「そ、そうだね。まあ、そうかな、したかった、かな？」

「ふーん、そうなんだ」

冷淡な相槌《あいづち》に、じわりと首の後ろに汗をかく。

この一言じゃだめだったのか。

え、やだ、してほしい……。焦る気持ちが言葉となって口から流れ出る。

「で、でも？　絢ってば意外と度胸ないっていうかさ。恋人の家にきたからって緊張して、それでいつもどおり振る舞えないなんて、あーそうなんだー、絢ってメンタルザコなんだなー、って」

もういい。言うだけ言ってしまおう。

ここまできたら、中途半端《ちゅうとはんぱ》で終わるほうが恥ずかしい。

そのとき、加湿器がピーと鳴った。朝に入れた水が切れた音だ。でもそれは、あたしの羞恥心《しゅうちしん》が弾け飛んだ音のように聞こえた。

「だいたいお母さんに誓ったってやつも、どうせ緊張して襲えないならってかっこつけて言ってるだけなんじゃない？　あたしはいつでもオッケーなのにさ。そりゃ、目の前にこんなかわいい女の子がいたら、怖《お》じ気《け》づくのもわかるけどー？　情けないなー」

誰がかわいい女の子だ誰が、と謎《なぞ》のツッコミが聞こえてくる。うるさいなあ！　ぜんぶぜんぶ絢を焚《た》きつけるためなんだから！

「結局、絢ってばいつもえっちするときは自分の部屋ばっかりで、自分の部屋じゃないとダメダメなザコ弁慶《べんけい》なんじゃない？　テリトリーの中だからイキってただけでさ。あー情けない情けない。ほら、あたしにここまで言われて悔《くや》しくないの？　悔しかったら襲ってみなよ。あー無理か、だって絢はメンタルザコなんだからねー？　あたしはいつだって絢のこと受け入れてあげるのになー。あーあ、ヘンタイはまだいいけど、ザコはちょっとねー。だっさー」

ほら、誘い受け！　誘い受けってこういうやつでしょ、ほら！

思いっきり挑発してあげるから！　ムカついてきてるでしょ！

こわくて絢が見れないまま、あたしは平然としたフリで続ける。

「あーあ、したいなー、すっごく今えっちしたいなー。頭真っ白になるぐらい抱き合ってきもちよくなりたいなー。誰かえっちなことしてくれないかなー。一緒にお風呂だって、一緒のベッドで寝てあげたって構わないんだけどなー。どこかにあたしのことが好きで、あたしのためなら自分の流儀をちょっとぐらい曲げてもいいよっていうザコじゃない子、いないかなー？そういう子が五分以内に現れたら、なんだってしてあげるのになあ！」

盛大なため息をつく。

すると。

「鞠佳」

あたしは大げさにビクッと震えた。こわい！

絢を振り向けないまま、さらに挑発する。

「なんですか？　ザコ絢さん。あたしに一切《いっさい》手を出してくれないようなザコザコな人は、呼んでないんですけど？　あー若い体をもてあますなー。なんかもう襲ってくれるなら誰でもいい気分になってきたし、今から冴ちゃんでも呼び出しちゃおっかなー！」

絢がくすっと笑って。

言った。

「私にかまってほしがる鞠佳、すごくかわいいよ」

空からクジラがドッカーンと降ってきたような威力だった。

体中の水分が沸騰しそうになり、絢に摑《つか》みかかる。

「いいから襲えようー！」

知らなかった。人間、恥ずかしくて泣くこともあるんだね。

勢いのままに、絢をリビングの床へと押し倒す。

馬乗りになって絢の胸《むな》ぐらを摑む。やだ、マジ涙出てきてる。

「あきらかに襲われてるの、私なんだけど」

「うるさいなあ！　したいんだから仕方ないじゃん！　絢がうちに泊まりにきてくれてるんだから、したくなっちゃうのは当たり前じゃん！」

覆いかぶさったまま、そんなめちゃくちゃ恥ずかしいことを叫ぶ。

ホントどうかしてるその言葉に、絢はあたしを見上げながら。

「……鞠佳から手を出してきたの、初めてだね」

「そ、そう？」

「まさか襲われるために襲ってくるようになるなんて。そういうの誘い受けじゃなくて、襲い受けって言うんだよ」

「い、言うんだよって言われても、知らないし」

絢がそっとあたしの手に手を重ねる。

「うん。それで？」

「え？」

「ここから先、どうするの？」

下からじーっと見つめられる。ど、どうって……。

あれ、これひょっとしてあたしが絢を襲う流れ？

それならしてあげてもいいよって、そういうこと？――

「服を脱がして……」

「それから？」

「……下着を脱がして、絢を裸にする」

「うん。した後は？」

なんだこれ。なんで絢がこんなにイニシアチブを握ってるの。どうしてまたがってるあたしが言葉責めされてるの？

「む、胸とかいじる……」

「そうなんだ。それから？」

「な、なめたり、吸ったりするよ。絢のおっぱい、白くてきれいだし、しばらくしててもぜんぜん飽きないから……たっぷり、たっぷりしてやるんだから」

「ふうん……鞠佳、えっちだね」

精一杯絢を追い詰めようと言葉を選んでみたのに、『えっちだね』の一言で、簡単にひっくり返される。

「そ、それだけじゃないし……。そのあとは、あたしがいつもされてるみたいに、下のほうも責めちゃうし……」

「どんな風に？」

「すっ、すっごくいやらしく！」

絢は『したこともないくせに、できるの？』という目で、こっちを見てる。うう。さ、されたことはいっぱいあるし……。

「だから、絢はなんどもきもちよくなっちゃうんだよ。むりむりむりって言っても、やめてあげないんだから。あたしを焦《じ》らしたバツなんだからね。昨日だけじゃなくて、これからの分もまとめて、絢の全身にあたしがいやらしいことをしちゃうんだから」

そう言うと、絢はようやく——吹っ切れた笑みを浮かべた。

「わかった。そこまで言うなら、しかたないな」

「あ、絢……？」

「もう、ほんとに鞠佳ってわがまま。えっちで、いやらしくて、お姫様なんだから」

「な、なによ……そんなあたしに惚れたの、あんたでしょーが……。あたしをいやらしくしたのだって絢なんだからね……ちゃんと責任とりなさいよ……」

「そうだね、ほんとに。私のせいか。うん、そうだったね」

そこで絢がなにかをした。

なにされたのか、一瞬わからなかった。気づいたときには天地が逆転してて、あたしは絢に馬乗りになられてた。

へ……？　なにこれ？

慌てて身を起こそうとする。けど、あたしにまたがった絢はそんなに強くあたしを押さえつけてるわけじゃないのに、微動だにできなかった。動けない。

ど、どゆこと……？

舌なめずりした絢が、体を倒す。

あたしの耳元に口元を近づけて、ささやいてきた。

「鞠佳が言った、私にしてやりたいこと……ちゃんと、ぜんぶ鞠佳にしてあげるから」

「え……？」

かすれた絢の声を聞いて、まるで条件反射みたいに背筋が震える。

だってこれ、絢がきもちいいことをしてくるときの、声だから。

「服を脱がして裸にして、胸をいじって、そのあとに……すっごくいやらしく、下のほうも責めてあげるね」

あ、やばい……。

「なんどもなんども責めて、ムリって言ってもやめないから。覚悟しててね、鞠佳」

ゾクゾクが止まらない。

「だれがザコか、思い知らせてあげるから」

悪魔みたいなささやきだけで、軽くイッちゃいそう。

耳たぶを噛《か》まれた。「ひう」と声を漏らす。

身を起こした絢が、まっすぐにあたしを見下ろしてくる。冷たくて熱い視線に貫かれたあたしは、泣き笑いみたいな表情で声を絞り出す。

「で、できるもんなら、やってみればいいじゃんー……も、もっとも、絢のよわよわなテクであたしがイクわけないけどねー……」

あたしが本気の声で泣きながら謝ることになるのは、きっと、そう遠くない未来のように思えた。

「い、いらっしゃいませー」

と、あたしは自分の部屋を開き、ファミレス店員風の声を出しつつ絢を招き入れた。

「……鞠佳の部屋だ」

あたしの部屋です。ベッドがあり、学習机とその横にちょこっと棚があり、アロマグッズとか小物が並んでる。

大きなクローゼットには着る服や、着なくなった服がたくさん入ってて、ドア横のハンガーラックにも季節モノの服がいろいろかかってる。服多いな。

「うん、ちょっと散らかってるけど」

「かわいいね。女の子の部屋って感じ。アロマグッズが多いのが鞠佳らしいな」

絢はキョロキョロと物珍しそうにあたしの部屋を眺めてる。お、落ち着かない。

「ヘンな匂いとかしない？　大丈夫？」

「うん、する」

「ええっ⁉」

「鞠佳の匂いする。やばいかも」

「ああー、それで部屋には入ってこなかったんだ……」

「昨日は……。まあ、うん、そう」

あたしは部屋の丸いピンクなクッションを抱いて、ベッドに腰かける。

普段はリビングでごろごろしてるから、あんまり自分の部屋にいないんだよね。ああでも夜寝るだけで、一日の三分の一はこの部屋にいるわけか。

絢が当たり前みたいに、あたしのすぐ隣に座った。さらにふとももに手を置いてくる。それでこそ絢。

「ベッドに座るね」

「もう座ってる座ってる」

「鞠佳のこと触るね」

「もう触ってるから！」

なんだこいつ、今度はいちいち宣言することがお母さんへの誠意だ、とか言い出すんじゃないだろうな。

「いちいち言わなくていいからね」

「そうだよね。鞠佳ってば、もうおあずけされたくないんだもんね」

「違いますし……がまんできないのは、絢のほうでしょ？」

あくまでも憎まれ口を叩くあたしに、絢がちょっとずつ顔を近づけてくる。あたしは目をつむって、その口づけを受け入れた。ふんわりとした優しいキス。

わ、嬉しい。やっとキスしてくれたぁ。

至近距離であたしの目を覗《のぞ》き込みながら、絢が唇を舐《な》める。

「そうだね、がまんできなかった。鞠佳のこと、だいすきだから」

「……かまってくれなかったくせに？」

「うん、さみしい思いをさせて、ごめんね」

むむ……優しい。

絢はゆっくりとあたしを押し倒す。自分のベッドだからか、いつもより安心感が増してる気がする。でも、やっぱりあたしは絢の部屋のほうがいいな、って思った。

「きょうはなにをさせられるんだか……」

あたしは照れ隠しみたいに、横を向いてうめく。なんといってもさっきザコだとか、よわよわなテクとか、さんざん煽《あお》ったのだ。今の絢が優しいからと言って、一秒後の絢が優しいとは限らない。あっ怖くなってきた。

けど、絢は首を振った。

「なにもしなくていいよ」

「それはそれでこわいんだけど……」

「私が鞠佳のこと、きもちよくしてあげる」

絢はいきなり手を、ショーツの中へと突っ込んできた。わあ、スピード展開。恥ずかしいことにあたしのそこはもうとっくにみだらな感じになってて、軽く触れられてるだけなのに水音を立てていた。

ああまた絢にいやらしいって言われちゃうんだろうなって思ってたら。

「なにこれ。もうできあがっているじゃん。私のことをさんざんヘンタイっていっておきながら、自分こそなんなの。チョロすぎだから、ほんと。恥ずかしくないの？」

つらみたいに尖《とが》った絢の声が、あたしの耳を突き刺した。

「え……え？」

あたしは一瞬なにを言われてるのかわからず、絢を見やる。

覆いかぶさったまま見下ろしてくる絢の目は、本当に冷たくて、あたしは寒くもないのに身震いする。

軽蔑《けいべつ》されたんだ、って思っちゃうほどに突き放した言い方。

けど絢は、すぐに柔らかく微笑《ほほえ》んで。

「うそだよ。ごめんね、じょうだんだから。鞠佳はかわいいね。私のせいでこんなになっちゃったんだよね。ちゃんときもちよくしてあげるからね」

「あ、あの」

なにか言おうとしたところで、受話口を塞がれるようにあそこを押さえつけられて、あたしはふぐっとなる。

あっ、やだ、絢の指、きもちいいところに当たってるし……。それだけなのに、身動きができなくなる。やがてくる快感に備えるように、足の指がきゅっと丸まる。

けど、肩すかし。指は微動だにしない。あたしは恐る恐る絢を見上げると。

また、あの雪の女王みたいな眼差《まなざ》しだ。

「ここ、責めてもないのに、ツンツンに勃《た》って、早く早くっておねだりしてくるんだけど、気づいてる？　そんなに待ち遠しかったの？　性欲もてあましちゃってさ、鞠佳がそこまでスケべだとおもわなかった」

「そ、それは……」

恥ずかしいけど、それよりも絢が怒ってるみたいな声を出すから、あたしはなにも言えなくなっちゃう。

絢がキスであたしの口をふさいでくる。そのあとで、まるであたしを膝枕《ひざまくら》するみたいに絢は体勢を変えた。片手の指で下の方をピンポイントに押さえつけたまま、もう片方の手では頭を撫でてくる。

「でもいいんだよ、鞠佳はかわいいんだから、そのままでいいんだよ。いっぱい甘えさせてあげるね」

「あ、あの……これは、どーいうプレイなんでしょうか……」

そろそろ絢の行動パターンがわかってきた。キツいことと優しいことを交互に言ってくる感じだ。わかります。意図がぜんぜんわかりません。

「からだだけじゃ、すまさないから」

そこで素の絢がぽつりと言った。

「心も、めちゃくちゃにしてやりたくて」

……。

いや、そりゃあたしも、煽り過ぎかな、やりすぎたかなって思ったけど……。えっ、こわい。素の絢が一番こわい。

「だから」

「ひぅっ」

急にびくんと下半身に電流が走った。絢の指が特に敏感な箇所の表面を撫でる。十分に濡れたそこから蜜をさらって、塗り広げられてゆく。いよいよ絢に責めてもらえるんだと思うと、つぼみが期待に張り詰めたような気がした。

「こうやって」

「い、いきなりっ、はっ、はげし……っ」

絢は最初から容赦がなかった。円をかくようにぐりぐりと絢の指が突起を圧迫する。

これだめだ。だってこれ、ずっと待ってたやつだから。

単純な動きのはずなのに、自分がやるのとは比べ物にならないきもちよさが背筋を駆け上り、脳まで真っ白にする。

全身が引きつって、あたしの手はシーツをぎゅっと掴んでた。

はぁ、はぁ……と呼吸が荒くなる。絢専用の快楽神経は、とっくに準備を整えていたんだ。だからもう今は、なにをされてもきもちいい。ご主人様を玄関までお出迎えする飼い犬みたいになっちゃってる。

「うそでしょ。ちょっと触っただけだよ。もうイッちゃったの？　鞠佳ってば、口ではいつもなまいきなこと言うくせに、快楽によわすぎ。ねえ、プライドとか、ないの？」

「だ、だって、だってぇ……だって」

甘イキの余韻にしびれながら、涙のにじむ視界で絢を見上げる。あたしを真上から見下ろしてる絢は、愛撫するみたいに髪をすいてきて。

　次は、優しくしてくれる番。

「鞠佳は、きもちいいこと大好きだもんね。しかたないよね、きもちいいんだもんね。こんな、おもらしみたいになっちゃって、まるで赤ちゃんみたい。ふふ、いいんだよ、赤ちゃんになって。私がぜんぶしてあげるから」

　今度は額に、頬に、鼻の頭に、そうして唇にキスをされる。

「……絢ぁ……♡」

「だからほら。ほらほら――――」

「――っ、あ、あやぁ、っ！」

「いい子だよ。こういうのも、好きだよね」

　親指で敏感な箇所をこすられながら、中指が入り口をかき鳴らす。やがて中指がなかに潜り込んできて、内側をぐぅと押し込んでくる。風船が膨らむみたいにじんわりと、きもちよさが広がっていく。

外からの激しい刺激と、内からの力が抜けるようなとろける快楽。ふたつにサンドイッチされたあたしは絢の膝に顔をうずめて首を振る。

「ああ、だめ、だめ、あ、あぁあぁ……」

「またイクの？　そんなにえっちな顔して、鞠佳ってば生まれつきの淫乱だね。私が開発したんじゃなくて、もとからえっちだったんでしょ」

「ちっ、ちがっ、ち、うぅ……♡」

言葉にならない声を漏らしながら、あたしはまた達した。今度の波は深くて、肺の酸素を全部吐き出すみたいな声をあげてしまった。

濡れてるのは下だけじゃなくて、すっかり目元も涙があふれてる。

「よし、よし……。上手にイケたね、鞠佳。おりこうさんだね、私の手の中でぎゅっと丸くなって、からだもすっごく熱くなって……。ふふ、かわいい赤ちゃん」

耳たぶにキスをされる。

赤ちゃんだなんて、すごくばかにされてるってわかるのに、あたしは抗議する気力も失ってた。頭じゃなくて、きっと体がわかってるんだ。ここで逆らうよりも、いうこと聞いたほうがずっと気持ちよくなれるんだって。

絢が片手であたしの体を抱き寄せる。ほんとに赤ちゃんをあやすみたいな体勢だ。なのに、もう片方の手はがっしりとあそこに取りつけられていて……なんでだろう、それが妙に安心しちゃう。

まるで、絢にあたしのすべてを管理されてるみたいだから、かな。

ずっとこうされたかったんだ、って勘違いしちゃいそう。けど、体はとっくに、はしたなく悦《よろこ》んじゃってるし……。

「ほら、鞠佳。ごめんなさいは？」

「ふぇ……？」

「いいなよ。『あたしはもともといやらしい女の子だったくせに、絢のせいにしてごめんなさい』ってさ」

「そ、そんなの……」

あたしは内股をもじもじとこすり合わせて、腰を動かす。絢は冷たく見下ろしてくるばかりで、きもちいいことをしてくれない。

わかってる。絢に従ったほうがきもちよくなれるって。けど、理性の部分が勝手にブレーキをかける。

ほんとにいらないな、って思う。こんなもの。だって今あたしは、絢に赤ちゃん扱いされてる。赤ちゃんに理性なんてない。

甘えれば、媚《こ》びれば、絢はもっともっときもちよくしてくれることがわかってる。

だから、これが正解なんだ。

とろけた頭のあたしは、意味わかんない理論で自分を納得させる。どうせなんでもよかったから。

今のあたしは、自分がいかにザコかって思い知らされたくて、仕方ないんだから。

期待があそこからあふれて、絢の手を今だって濡らしちゃってるんだから。

「あ、あたしは、もともと、やらしかったくせに……。う、うう……絢の、せいにして、ごめん、なさい……」

それでも、恥ずかしさはなくならない。頬を熱くしながら、とぎれとぎれに言う。

一度イカされたら、ようやく素直になれる。いつもこうできたらいいのに。そうしたら、絢ももっと早く襲ってくれたのに。

すぐに絢はまた優しくしてくれると思ってたけど、そうじゃなかった。

「『ザコなのはあたしでした。絢に逆らってごめんなさい。すなおになれなくて、ごめんなさい』でしょ？　ほら」

こんなのプレイの一環で、言わされてるだけ。本当はわかってるはずなのに、口に出したら内側のなにかが変わっちゃう気がした。

それでも、あたしは言っちゃう。だって、絢が冷たくあたしを見つめてるから。

このままじゃ、きもちよくしてもらえないから。

「ザコなのは、あたしでし、たぁ……。絢に、逆らっちゃって、ごめんなさ……ぃ」

涙目で、絢の体に手を伸ばす。そこにはふたつの膨らみがあって、触れるだけでまるで自分がきもちよくなっちゃうような、絢のおっぱい。

「すなおになれなくて……ごめんね、あや」

「ううん」

絢は先ほどまでのどれとも違う微笑みを浮かべながら、あたしの頭を抱いた。

これ、好き。

「ごめんね。鞠佳のきもちはわかってたのに、私こそ意地はってた。……私ね、鞠佳を幸せにしてあげたいんだ。来年も再来年も、そのさきもずっと、鞠佳が幸せでいてくれたらいいなって思うの。だからご家族のこととか、いろいろ考えちゃって……。けど、今ならちゃんと、これでよかったんだってわかるよ。だから、ありがとう、鞠佳」

「あや、ぁ……？」

その言葉は、今の赤ちゃんになっちゃったあたしには難しすぎて、よく理解できなかったけど。きっと、あたしを思ってくれてるんだろうなってことだけはわかった。

「鞠佳、おっぱい好き？」

「うん……あやの、すきぃ……」

「しかたないね、だって鞠佳は、赤ちゃんだもんね」

くちゅりと音を立てて、絢の手があたしの股の間から離れる。「あ……」と切なげな声が漏れる。絢は自分の服をたくしあげて、あらわになったおっぱいをあたしの顔に押しつけてきた。

「ほら、甘えんぼうさん」

「ん……ふぅ……っ」

胸の先端を口に含んで、ちゅぅと吸う。股間のほうにまたむずむずしたきもちよさが広がってゆく。してるのはあたしのほうなのに、なんでかなあ……。

「あっ、ああっ、あぁっ……あやぁ」

また絢が下のほうを責めてきた。しかも今度は『もういいでしょう？』とばかりに、一直線に絶頂へと導くようなテク。

「あっあぁぁっ、い、いくっ、いっちゃう、いっちゃうよぉ、あやぁ……だめ、だめだめ、おっぱい、できないから、あぁぁっ」

「ふふ、この赤ちゃん、きもちよさに夢中で、おっぱい飲むのもじょうずにできないんだね。だめな赤ちゃんだね……」

優しく冷たく、甘く意地悪に叱《しか》られる。

絢の言ったとおり、あたしの心はもうぐちゃぐちゃになってて、今は目の前の大きな波に意識を飛ばされないよう、必死にしがみつくことしかできなかった。

ああ、だめだ。がくんと頭が、体が揺れる。がくんじゃ止まらなくて、がくがくがくがくと全身がけいれんする。

　あぁ、きもちいい。きもちよくて、きもちよすぎて、ばかになっちゃう。

　もう全身は汗びっしょり。遠ざかった音が戻ってくると、やけにうるさいのがあたしの乱れた呼気だとわかった。

　まるでごまかすみたいにぴんと舌を伸ばして、胸の先っぽを舐め転がす。さっきよりちょっと硬くなった絢のおっぱいも、好き。

「んっ……ちゅ、ちゅぱ……あやぁ……」

「鞠佳……んぅ……ん、今度はいっぱいきもちよくなって、深くイッたね」

「うん……イッちゃったぁ……」

　しまりのない顔で笑うと、絢が頭を撫でてくれる。呼吸が整うまで待ってから、また下をいじられる。

「ここね、私が責めるたびに、吸いついてくるんだよ。わかる？　ほんとに甘えんぼうなんだから、鞠佳は」

　恥ずかしいけど、恥ずかしがってる余裕なんてなくて。

「あっ、うぁぁ……うぅ……あっ、あっ、また、また、すぐっ……ああぁぁあぁぁ……」

「今度はじゃあ、しばらくおりてこられないようにしてあげるね」

「やっやっ、い、いまっ、今いって、イッてるのにっ、また、またぁ、あぁあぁぁ、イッてるのに、またっ、イクぅ……」

「鞠佳のからだ、どこも弱点ばっかり。ほら、ここもきもちいいでしょ。わかるんだから、鞠佳のこと」

「ふぁっぁ、こ、こんなの、おかしくなっちゃうっ、だめ、だめ、やめ、むりっ、おかしくなっちゃうぅううぅ」

それは本気の懇願。きもちよさの沼に全身を引きずり込まれるような、身動きの取れない地獄みたいだった。

目の奥の光は何度も何度もチカチカと瞬いて、自分が自分じゃなくなっちゃうような暴力的な快感に体が弾け飛んじゃいそう。

絢があたしの耳にキスしながら、淫魔みたいにささやく。

「おかしくなっていいよ。ほおら鞠佳、こわれちゃえ。ぜんぶとけて、きえちゃっていいよ。愛してるよ、鞠佳」

「あっ、ああぁっ！　あぁぁああぁぁぁ！」

ぷつん、となにかが途切れる。あ、これだめだ。きもちよすぎてしんじゃう。

これ以上はぜったいに無理で二度と戻れなくなっちゃうと言い張ってた境界を、あっさりと超えさせられた。

息ができない。

ピリピリとした表面の刺激だけじゃなくて、お腹の奥の奥から多幸感にあふれたきもちよさが指先までを犯し尽くす。

それは、真っ白できれいな光の中に沈んでゆくみたいだった。

意識が飛ばされてゆく中、あたしは優しいピンク色のモヤに包まれる。

ああ、これは絢の匂いだ。胸に顔をうずめたまま快感のショートで失神しそうになったあたしは、いっぱいの絢に包まれてるんだ。

ちょっと汗ばんでて、だけどいつもと同じ絢の香り。どうしてこんなに心安らぐんだろう。出会って半年の恋人なのに、ずっと前から知ってたみたいな。

……まるで絢から生まれてきたみたいだ。

これが母性っていうんだろうか。あたしのわがままも、意地っ張りも、ずるいところも、ぜんぶぜんぶ許してくれて……叱ってくれて……甘やかしてくれて……きもちよくしてくれる絢。

きもちいい、きもちいい……。

女同士がこんなにきもちいいなんて、知らなかった。絢だけが教えてくれた。

絢のことが好き……。大好き……。

どろどろになって溶けちゃったみたいなあたしに、絢がキスをしてくる。

「きもちよすぎて、気絶しそうになっちゃったね。ちょっと休もうか、鞠佳。お水飲まないと脱水症状で倒れちゃうから。明日も学校あるのに。バスタオルももってくるね」

「……あぃ……」

意思疎通じゃなくて、外部の刺激にただ反応を返すみたいに、あたしのだらしなく開いた口が意味のない言葉を紡《つむ》ぐ。

けど次の言葉は、ちゃんと聞こえた。

「休んだら、また続きをしようね。ちゃんとセーフワードはおぼえてる？　ま、おぼえてても……きっと、今夜は使わないだろうけど、その様子だと」

髪を撫でられ、頬にキスされる。

あたしはまるで、なにもできず絢に構ってもらうのを待つだけの、赤ちゃんで。

「勉強のできる鞠佳がばかになっちゃっても、ちゃんと責任とるから、安心して、きもちよくなってね」

ほんとだよ、絢。

「あは」

次のテスト、今度こそ絢に勝とうって思ってたのに、このままじゃどんどん成績おちそう。

でも……。

今は、きもちよくて、幸せだから……いいっか。

こうしてあたしは待ち望んでいた通り、絢にいっぱいいっぱい構って構ってもらって、幸せな夜を過ごしたのでした……。めでたし、めでたし……?

第三章

終業式の日。登校するなりめちゃくちゃ寒い体育館に連行されたあたしは、全校集会の間ずっとあくびを噛《か》み殺《ころ》してた。

うーん、だるい……。

帰宅部になって二年経《た》ったし、そろそろ体力も衰《おとろ》えてきたのかな。陸上部時代は毎日すっごく全身を酷使してたもんなー……。ランニングぐらいは、再開したほうがいいのかもしんない。暖かくなったらね。

壇上で先生が言ってるお決まりの定型文《ちゅういじこう》も右から左へと聞き流し、ぼんやりしてると、隣に立つ悠愛《ゆめ》が暇《ひま》そうに話しかけてきた。

「鞠佳《まりか》、眠そうだねー。きょう珍しく遅刻しそーだったし、夜更かし？　動画？　テレビ？映画？　漫画？」

「ちょっとねー……」

眠気を言い訳に、悠愛の追及をやり過ごすあたし。

夜更かしの原因は、言うまでもない。昨夜の、その、幸せなひとときだ。

ていうかさー、絢《あや》ってば学校があるってのに、朝からべたべたしてきて……。

昨夜お風呂《ふろ》も入らず寝たから、朝は匂《にお》い落とさないとって慌ててシャワー浴びてたら、いきなり乱入してきて、ちょっかい出してきたり。

朝からあんなにサカるとか、ありえないからね、ほんと。時間ぎりぎりまでされちゃって、こっちは足ガクガクになってるのに、早く早くって急《せ》かすし。

おかげで遅刻しそうになったじゃんか。まったくもう。

困った恋人だよねー。まったく、まったくもー……。

「鞠佳、なにニヤついてるの？」

「え？　いや、別に？」

「あやしーなー？　あっ、ひょっとして、いい夢見てて遅れたとか？」

確かに、現実とは思えないぐらい幸せな時間だった。そのツケを払うかのように、寝不足とよれよれの体が今のあたしの現実なわけで……。

「そういうわけじゃないけど。なんか、最近のあたしって体力ないなーって思ってさ」

「そうなの？」

「うん。体動かすのって、バイトぐらいだし。悠愛はなんか運動してる？」

「えー、わざわざ運動なんてしないでしょ普通。疲れるし」

「そこまで言うか」

なに言ってんの？　とばかりにこちらを見返してくる悠愛は、思い出したように「あ」と声をあげた。

「してるしてる。週一ですごいハードなやつ」

「なにそれ？」

「うん、ちーちゃんと——」

と、口を滑らせようとして悠愛は固まった。その顔がどんどんと赤く染まってゆく。

……今、すごいこと言おうとしなかった？　悠愛。

「——た、体操、筋トレ体操みたいなことをしてて」

「へー……」

白々《しらじら》しい視線を向けると、笑ってごまかそうとした悠愛は耳まで真《ま》っ赤《か》になってた。

女子校はかなりエグい下ネタも飛び交う魔境なので、あたしの周りはたいてい耐性ある子ばっかりだけど、さすがに自分が渦中かどうかは問題のようだった。

今にも逃げ出したいけど、全校集会の最中だから動けずにいる悠愛に、（イジワルの虫が騒ぎ出すも）あたしはとりあえずひとつだけ疑問をぶつけてみる。

「ちなみにその体操、どれぐらい続けるの？」

「わかんない……。予定がなければ、一日中とか……？」

「一日中⁉」

慌てて口を塞《ふさ》ぐ。イマドキの若者の風紀の乱れを嘆いてた先生に、壇上から睨《にら》まれた。今ここにとんでもなく乱れてる子がいるんですが！

いやー、すごいな、悠愛……。知沙希《ちさき》の『悠愛はケダモノ』発言を思い出しながら、すっかりと小さくなってる悠愛を見やる。

清純派アイドルみたいに、かわいい顔してるくせに……。

「悠愛先生は、体力自慢でいらっしゃいますねえ……」

「そのイジりやめてー！」

今度は、頭を抱えた悠愛が睨まれる番だった。てか、あたしが毎週ペースで絢に一日中されたら、死んじゃうよほんと。

あたしたちは体育館を追い出され、教室に戻ってゆく。

悠愛にショッキングピンク色の話題をぶつけられたからかなんなのか、朝っぱらからのラブラブ案件をいまだに引きずって、体がふわふわとしてる気分だった。

はー、いかんなあ、寝不足で疲れてるのに体が軽くて、頬《ほお》が緩《ゆる》んじゃいそうだ。なんでだろう。はっ、もしかして幸せだからかな？　なんちゃって。

この状態で絢の顔みたら、ちょっと危ないな。教室じゃしちゃいけない顔しちゃうかもしれないな。ちょっとトイレでテンション下げておこう。

帰り途中のトイレに寄って、個室から出てきて手を洗ってると、そこに岸波《きしなみ》と戸松《とまつ》が現れた。西田《にしだ》の取り巻きワンツーだ。

まじか。そんなにテンション下げにこなくてもいいんだぞ、神様。

ふたりは明らかにあたしに用があるみたいだった。そりゃ昨日のきょうですからね。

や、やる気か？　あ、あたしには絢がついてんだぞ！　という気分で鏡越しにあいつらの様子をチラチラ見てると、突然謝られた。

「榊原《さかきばら》、昨日はごめん」

「お、おう？」

ハンカチで手を拭きつつ振り返る。

「え、なに？　どしたの？」

ふたりは左右から詰め寄ってきた。

ま、待って。西田量産型と呼ばれるだけあって、ふたりの容姿レベルはかなり高い。なんだあたし、女に迫られただけなのになんで赤面してるんだ。違います、あたしは絢が好きなだけの普通の女子です。

おねだりするみたいに上目遣《うわめづか》いしてくるな！　かわいいから！

「ねー、実際、榊原って合コンどうしてもムリめー？」

「だからその日はパーティーがあるって言ったじゃん！」

岸波はしゅんとした。西田がいないからか、こういう内気な面が素なのかもしれないなって思った。

「あれでさー、玲奈《れいな》がスネちゃってさ。クリスマスイブは自分もひとりだけパーティー行ってくるとか言い出しちゃってさ……」

ぽんぽんと戸松が岸波の肩を叩《たた》いて慰めてた。あたしをすがる目で見つめてくる。

「『鞠佳いないとか萎《な》えたー』ってさ……。アタシたちにできることだったら、なんでもするからさあ」

「軽率になんでもとか言わないの……」

あたしが絢にそんなこと言ったら、だー、と、ままー、しか言えなくさせられるぞ。

「えーと……そんなに合コン楽しみなの？」

『もち！』

岸波と戸松は手を合わせた。仲いいなあんたら。

ふたりは急にニコニコしちゃって。

「だって玲奈が開いてくれるんだよ！　前からずっとお願いしてて、でも玲奈ってずっとカレシ途切れなかったからダメだって言ってて……。それが今回、ようやく叶《かな》ったっていうか！」

「イケメンの質が違うっていうか！　俳優の卵とか、モデルの卵とか来るらしいし！」

「外国産ハンバーグが、国産フィレステーキになっちゃうみたいなやつだよ！」

「もうアガりまくり！　ねー、お願いだよぉー、榊原ぁー」

「ううむ」

なんか婚活モノのドラマで、こんなシーンみたことある気がするな……。

悪いとは思うけど、だからってあんたたちの幸せのために、せっかくのクリスマスパーティーを抜け出して、絢にめちゃくちゃ怒られるのヤだし……。

「ごめんね、あたしにも人生があるから……」

「なんでさあ！」

「いいじゃん一日ぐらい！　せっかく玲奈がアタシたちを選んでくれたのにさぁ！」

あたしは、ん？　と首を傾《かし》げた。

そうだ。そういえば最初からなんか引っかかってたんだよね。

「ねえねえ、西田のグループって人数多かったよね。西田合わせて六人ぐらい。なのに、なんであたしなの？」

「え？　知らないけど……」

「玲奈となんかあったんじゃないの？　どこか遊びに行ったとか」

「いやいやナイナイ。まったくない。接点は学校だけ」

岸波と戸松は少し首を傾げ、すぐにあたしの肩を摑《つか》んだ。

「別にいいじゃんそんなのどうでもさ！　ねー、お願いだってば榊原！」

「どうしてもムリならいいけどさ！　どうしてもムリなら、ね、どうしてもムリじゃなければ、ムリじゃなければお願いだってば！」

「どうしてもムリだっての！」

　ぺちっとその手を払って、あたしはトイレを脱出した。ああもう、あたしにはあたしの恋路があるの！　人の恋路の面倒まで見てらんないよ！

　岸波戸松に縋《すが》りつかれながら教室に戻ると、西田が待ち構えてた。

「あんたらまた鞠佳に絡《から》んでんのー？」

「あっ、そういうわけじゃ！」

「違う違う、前のこと謝ってたの。ね、榊原、ね」

　振り返ってジト目を作るあたしに、ふたりはウィンクつきで目配せをしてくる。調子いいなこいつら……。

　こういう、自分たちがそこそこイケてることを知ってて、なんだかんだ許してくれるでしょみたいな雰囲気出す女子、憎みきれないんだよなあ。空気に流されてるのかもしれない。

　まあ、話をわざわざ蒸し返すこともしたくないし。仕方ない。あたしは近くにいた目立ちすぎる青髪ギャルをちょいちょいと呼んだ。

「ね、代わりにひな乃《の》を連れてくのはどう？」

「なにが?」

やってきたひな乃の小柄な肩に手を置いて、生贄《いけにえ》のように捧《ささ》げる。

「クリスマス合コン」

ひな乃はにこりともせず、真顔で。

「いや、あたしクリスマス予定あるし。ちゃんと相手いるから」

相手⁉

「え、ひな乃に? ありえなくない?」

「おいなんだその目。キスするぞ」

「やめて」

確かにひな乃もかわいいけど、本気でＮＧです。あたし一途なんで。

岸波と戸松は西田の顔色を窺《うかが》う。西田はハハッと声をあげて笑ってた。

「いやームリでしょ。絶対ムリ。ひな乃とか来たらみんなドン引きだってばー。その髪色さすがにやばいしー。てか愛想ないし。鞠佳の代わりなんて誰《だれ》にも務まらないって」

ばっさりである。いや、てかあたしへの評価高いな!

ひな乃は西田を野生のポメラニアンみたいに睨みつける。

「愛想あるわい。原宿のカリスマショップ店員なめんな。こちとらインスタのフォロワー６ｋオーバーやぞ」

「え、すごくない？　てか見たいんだけどひな乃の接客」

「確かに。あたしも見たい」

同意すると、ひな乃は咳払《せきばら》いしてちゃっかり期待感を煽《あお》ってから、恐ろしいことに満面の笑みを浮かべてみせた。

「いらっしゃいませぇ～♪　なにかお探しですかぁ～♪」

「こわ」

「キモ」

「ブン殴るぞ」

拳《こぶし》を固めるひな乃から逃げ惑うあたしと西田。なんか傍目《はため》に見ると、めっちゃ仲良しだなあたしたち。そりゃ、西田とあたしは似たもの同士だし、仲良いかもだけど。

ただ実は、西田があたしを誘ったことに対する違和感は正しかったりしたんだけど……それがわかるのはまだまだ先。クリスマスパーティー当日のことなのであった。


終業式なので、学校はお昼前に終わった。

帰りは絢や知沙希、悠愛らと学校近くのカフェでお昼食べつつ、パーティーの作戦を練った。

悠愛の「ドレスとかもってないんだけど！」という言葉を皮切りに、「え？　ドレスなの？」

やら「なにそれ、今から借りるの間に合う？」やらの質問に、いちいち絢が答えてくれた。

要するに「ちょっとおしゃれしてくるぐらいでいいよ」って感じらしい。

アメリカにはプロムナードとかあるけど、日本ってそんなのやんないもんね。せいぜいハロウィンとか、クラブとか？　うん、違うな。

だから作法とか、わかんないよね。絢から去年の様子を聞いて予習予習。あ、この話はあとで冴《さえ》にも共有してあげなきゃな。

と、二時間ちょっとで解散。

あたしはこれからお母さんのお見舞いにいく。絢はいったんうちに帰って着替えを取ってきたりなどなど。楽しい楽しい冬休みの始まりだ。

絢が先に電車を降りて「じゃーまたねー」と手を振って別れた頃、ふと見るとメッセージが入ってた。知沙希だ。

『きょうまた西田グループに絡まれてなかった？』

あー見てたのか。

てか、気にしてくれてたんだろうな。友達想《おも》いの知沙希らしい。

『どうしてもあたしを合コンに誘いたいみたい。人気者はたいへんだね』

絵文字つきで返す。

『西田、どうせカレシなんてほしいと思ったことないくせに』

まるで吐き捨てるような文面だ。どういうことだろう。

『そうなの？』

既読ついたのに知沙希からの返信はない。うむ、わからん。

しかしあたしも人生で一度も彼女ほしいって思ったことなかったくせに、気づけばできてたからな……世の中ってそういうものなのかもしれない、とわかったようなわからないようなことを思いながら、駅に到着した電車を降り歩いていく。

「おかーさーん、具合どう？」

「うん、ボチボチ」

と、ノートパソコンから目を離さずに言うお母さん。動画配信サービスで海外ドラマを見てるみたい。どうやらシーズンが溜《た》まってるらしくて、この一週間で制覇するつもりらしい。あと七十二話ぐらいあるってそれ、毎日十二時間かかるね……。

きょうで入院三日目のお母さんは、ホテル代わりの個室生活を満喫してるようだ。大部屋に空きができたのに、楽なんで個室でいいです、と言い張ったらしいし。

「お見舞い甲斐《がい》がないなあ……」

「そりゃごめんね。でもお母さんが元気にしているのが、なによりの薬でしょ」

「あなた、自分で言いますか」

うーんこの無駄な自己肯定感。親子だなー。

いそいそと洗濯物を引き取る。

「そっちは変わりない？　絢ちゃんとは仲良くしてる？」

仲良くという意味なら、昨夜はこれ以上ないほど仲良くしてたなあ……。遠い目になりかけたので、慌てて気を強くもつ。

「う、うん。昨日はご飯作ってもらったよ。クリームシチュー」

「絢ちゃんは料理もできるのねえ。そのままお嫁に来てくれればいいのに」

それは本当になにげない言い方で、ただの冗談なんだろうけど、あたしは迂闊《うかつ》にもドキッとしてしまった。

「な、なに言ってるの」

お母さんはドラマに夢中で、あたしの動揺には気づいてなかった。セーフ、セーフ。気を取り直して注意する。

「いいけど、絢にはヘンなこと言わないでよ。いい子なんだから」

我ながら絢を『いい子』って評することにめちゃくちゃ違和感あるけど、少なくともお母さんに誓ってあたしに手を出さないんだーとか考えちゃうぐらい、真面目《まじめ》で責任感のある子ではある。それはいい子なのかな？

「大丈夫大丈夫、言わない言わない。冬休みだからってだらだら過ごさないのよ？　ちゃんと宿題もしてね」

「わかってるってば、子どもじゃないんだから。絢もきょうはおうち帰って、勉強道具一式持ってくるらしいし」

「ふーん。ま、絢ちゃんがついてるなら心配いらないだろうけど」

「いつの間に絢への信頼感がそんなに」

「お母さんレベルになると、人相を見るだけで、どんな人生を送ってきたのかだいたいわかるのよ。絢ちゃんは間違いなくいい子。ＳＳＲクラス」

人の手相を見ればタチネコがわかるとか言ってた可憐《かれん》さんみたいだ。

お母さんは化粧品メーカー勤めで、ずっと百貨店を担当してた人だ。もうちょい若いときは売り場にいて、今でもたまに売り場に立ったりするらしい。

だからいろんな人を見てきたんだろうけど、お母さんは調子いいことばっかり言うから、あんまり信じてない。それハロー効果ってやつでしょ。顔のいい子がいい子に見えるっていう。

ここにいてもやることないし、もう帰ろうかな。

「ね、鞠佳ってさ、絢ちゃんのおうちのこと、なにか聞いてる？」

「え？」

聞いたことない。

「なに急に。特になんもないけど」

「ん、そっか」

なにそれ、気になる。

いつ行っても人のいない絢の家を思い出して、なんか心にちょっぴり棘《とげ》が刺さった気分になった。

「どうかしたの？」

「んー、なんでもなーい。人のご家庭、あんまり詮索《せんさく》するもんじゃないからねえ」

「自分から言い出しておいて」

そんなのあたしだってそう思ってるし。だから絢の家庭環境についても、今までなんにも聞いたことはなかった。ちゃんと空気読んで、お行儀よくやってきたのだ。

「よくわかんないけど、絢はいい子だよ」

勉強しようと思ってた矢先に、勉強しなさいと頭ごなしに叱《しか》られたような気分でムスッと言うとお母さんは、はははーと声をあげて笑った。

「そうね、今どき珍しくマジメで、考えもきちんとしてて、本当に鞠佳のお友達なのが不思議なくらい立派な子よねー」

ベタ褒《ぼ》めだ。実際は友達じゃなくて恋人だからね……とは言えず、あたしはなんだか急に照れくさくなって「うん」とうなずいた。

「……そうだよ、絢はいい子なんだよ」

いろんな気持ちを込めて、繰り返し言い放つ。

ま、絢のこと気に入ってくれるとか、見る目あるじゃん、お母さん、ってけっこう生意気な感じで思った。

「たーだいまー」

夕方近くになって家に帰ってくると、ゆったりとしたワンピースを着た絢が、ダイニングテーブルで早速冬休みの宿題に取り組んでいた。い、いい子……。

「……おかえり、鞠佳」

「なんで照れてんの」

「しかたないでしょ」

目をそらす絢。か、かわいい。急にかわいいのやめてほしい、かわいいから。

頭を撫《な》でていい子いい子する。絢は構われることを当然のような顔で受け入れる飼い猫みたいに平然としてた。そこは照れないんかい。

「絢って長期休みの宿題、先に終わらせるタイプなんだ」

「なんだか落ち着かなくて。やることやったら、あとは怠惰《たいだ》にすごしていたいの」

「ふーん、あたしは逆だなあ。終わり近くになって、慌ててやるタイプ」

「それっぽい」

ま、邪魔《じゃま》するのもあれだし、あたしもベンキョーでもしよっかなって思ってると、絢がぱたりとノートを閉じた。

「もういいの？」

「けっこう進んだし。それに、鞠佳が帰ってきたからね。外さむかったでしょ、ほら」

絢が立ち上がって、あたしを抱きしめてくる。いい匂いがする。絢の匂いだ。

しかも暖房の効いた部屋にいたからか、普段はひんやりしてる絢の手先が温かくて柔らかくて落ち着かない。絢に包まれる多幸感やばい。こたつですら勝てない。

「おかえり、鞠佳」

「た、ただいま」

抱きしめ＋耳元ささやきの相乗効果で、今度はあたしが照れる番だった。

本日で、絢との同棲生活も三日目。そろそろ折り返し。

さてそれじゃあ、と思って絢から離れようとするんだけど、あたしを抱きしめたままの絢はその腕をホールドしてぜんぜん離してくれない。花の檻《おり》みたいだ。ええと、あの、絢さん？

「ええと、晩ごはんの買い出しとか」

「もう作ってあるよ。あとはチンするだけ。洗い物もすませた。お風呂は洗ったし、なんならリビングもかるくお掃除したから」

耳たぶを噛まれる。ひゃあ。

「あ、あの、あのあの……まだ日が出てるんですが」

「でも、私はきょうやることは全部おわったから。いったでしょ。なにも考えずに怠惰にすごしたい、って」

「これはどちらかというと、怠惰ではなく、みだらと言いますか」

抗弁も虚《むな》しく、唇で唇を塞がれた。

それがディープなあれに移行する前に、ぐいっと絢を押し返す。両手をどっこいしょって感じで前に突き出しつつ、首を振る。

「さ、先にうがいと手洗いとお着替えを済ませてきますので」

「うん、いってらっしゃい。こっちも用意しておくね」

なにを……。

洗面所でうがい手洗いと、ついでに歯磨きも済ませてくる。

ちなみに鏡の中のあたしは、めっちゃ顔が赤かった。寒いところから急に暖かいところにいくと、誰しもこうなるよね。しょうがないね！

自室で制服を脱いで、部屋着に着替える。部屋着と言いつつ、実はお出かけするときに着る服だったりするんだけど、いや、もう仕方ないでしょ。

後先考えずにシワになっちゃうとしてもだよ、思慮深く人生を生きられる人がクラスメイトに挑発されて百万円で自分の体売ったりしないでしょ。

タータンチェックのミニスカートと、ボルドーのニット。くっ、髪を整える暇はない……。

まあ、どうせ乱れるし……。

「戻りましたー……って」

ソファーに座ってた絢が、おいでおいで、としてくる。

とことこと無警戒で近づくなり、服を脱がされた。

「なんで！」

「お部屋の中、ちゃんと暖かくしておいたから、だいじょうぶ」

「そういう問題じゃないんだけどなあ……」

あたしのプチおしゃれは特に意味なくとっぱらわれた。上下、淡いピンクの下着姿にさせられる。確かに部屋は暖かいから、下着でも快適に過ごせそうだけど……。

なぜリビングでこんな格好にさせられてるの。そしてあたしはなぜ拒否らないの。

なぜなにが膨らむ中、絢はそれにとどまらなかった。

「みて鞠佳。これかわいくない？　家に取りに帰ったんだ。鞠佳のだよ」

目の前に掲げられたのは、上下黒、レースのランジェリーだった。

「なにこれ、えっ、高そう」

いつも着てる下着に比べて手触りが違うっていうか、デザインセンスもぜんぜん違うっていうか、大学生どころか社会人のきれいな女の人がつけてそうだ。大人による大人のための下着って感じ。けど、絢なら似合いそう。

「まあ、オーバドゥだからね」

「それ海外ブランドでめっちゃ高いやつじゃない……？　え、わざわざ用意してきたの？　あたしに？」

「うん。クリスマスプレゼントみたいなもの。私への」

「あたしが着ることが絢へのプレゼントになるのか……」

ランジェリーを抱えたまま、金銭感覚の違う夫を気にする奥さんみたいな心境で、絢を生温かく見つめる。

「もー……あんまりあたしのためにお金使いすぎないでよ。絢ってば、際限なく使っちゃいそうだから。心配ですよあたしは」

「わかってる。でも、きょうぐらいはいいでしょ？　せっかくのお泊まりなんだもの。ほら、着替えて」

絢に微笑《ほほえ》まれて、あたしはなにも言えなくなってしまう。

だって、一週間も我が家に泊まりにきてくれてるんだし、お金使わせたのは申し訳ないけど、とっくに時間は使わせちゃってるわけだし……。

「……今回だけだからね。次から一万円以上使うときは、相談してよ」

「はいはい」

頭を撫でてなだめられた。もー、苦言が効いてないー。

「じゃあ、えと、お部屋で着替えてきますので」

「廊下は寒いよ。ここで」

知ってた。目の前で下着を穿《は》き替えるの、めちゃくちゃ恥《は》ずかしいんだぞ……。こう、直接見られないように工夫して下着を足から抜いたりしてさ……絢も一度やってみなさいよ……。

するっと上と下を着替え終わる。なんか全身がパリッとしたような感覚。

身につけた初めてのオーバドゥは、全身に張りつくような着心地で、フィット感がすごい。デザイン重視の下着ってどうしてもチクチクしたり、気になるところがあるんだけど、これに限ってはまったくそんなことなかった。胸もおしりも、違和感ない。

しかし、大人用の勝負下着を十七歳の女子高生が身につけるって、背伸びが半端《はんぱ》ない。絢だったら様になるんだろうけど……あたしだし……。

絢はどうかというと、心から幸せそうにニコニコしてた。

「すごくかわいいよ、鞠佳」

これぐらい喜ばれてしまうと、似合わないから脱ぐー、とも言い出しづらい……。何万もする下着だしね……まったくもー……。

「これは、あれですか。こないだ言ってた、絢用のラッピングってやつですか」

「それとはすこしちがってね。きょうの鞠佳にはお嬢様になってもらいたかったから」

「どこからどう見てもド平民ですが」

お嬢様って顔は、絢のほうでしょ。貴族の役とかすごい似合いそうなくせに。

「きょうは一日、その格好で過ごしてもらうから」

「罰ゲームでもなんでもないのにぃ」

思わず手で胸と股間を隠す。扇情的なデザインの勝負下着ではあるんだけど、下着の格が高いからか、下品にはぜんぜん見えないのが救いだけどさあ……。

「うう、汚さないように気をつけないと」

「無駄だと思うけどね」

「絢次第でしょ！」

「鞠佳のからだなのに？」

髪をかきわけ、耳を撫でられる。むむう。

「それはなんか、いじわる……」

「ごめんね」

そのままキスをされた。舌と舌を絡めるようなキス。うう、お口に絢の舌が入ってきて、ねぷねぷされる……。なんかこれ、顔がいいテクのある女に、キスでごまかされてない……？

ごまかされました。

鼻先を触れ合わせたまま、絢がささやいてくる。

「だいじょうぶ、鞠佳だけに恥ずかしい思いはさせないから」

「……絢も脱ぐの？」

「むしろ、着る、かな」

どゆこと。絢はソファーの脇《わき》に置いてあった紙袋を手に取った。

「じゃあ、私も着替えてくるね。もしかしたら時間がかかるかもしれないけど、ひとりでシてちゃだめだよ。すぐきもちよくしてあげるから、ちゃんとがまんしててね」

「なにを！」

叫ぶけど、絢は含み笑いを浮かべながら出ていった。

まさかあの子、初日のあたしの夜の醜態を知ってるんじゃないだろうな……。いや、ただのいつもの冗談だと思うんだけど……え、絢だしなあ……。

あとどさくさに紛《まぎ》れて、リビングから出ていきやがった。あたしは目の前で着替えさせられたのに……。不条理。

膝《ひざ》を抱えてソファーの上に体育座りして待ってたんだけど、絢は五分ぐらいしても帰ってこない。手持《ても》ち無沙汰《ぶさた》なので、自撮りアプリを起動してどんなもんかと自分の姿を確認してみる。

む……こ、これは、え、けっこうさまになってるのでは？　高級な下着すごい。スタイルがいい感じに盛れてる……。

足を伸ばして座ったり、ちょっと首を傾けて口元に指を添えるポーズを取ったり、何枚かパシャパシャする。

うん、うん。いいんじゃない？　ちょっと背景とか工夫してみたい。さすがオーバドゥ。身につけるだけで、ランクアップしたみたいな気分になる……。カシャカシャ、カシャカシャ。

「お嬢さま、下着を気に入ってくれたみたいで、うれしいですね」

そんなことをしてると、いつの間にか絢が戻ってきてた。ひえっ。

「いや、これはちがくて、絢がなかなか戻ってこなくて暇だったからで……って、なにその格好⁉」

「メイド」

メイド服だった。絢は両手で軽くスカートをつまみ、片足を引き、軸足を曲げて深々と頭を下げた。メイドが主人にする挨拶《あいさつ》、カーテシーってやつだ。

クラシカルなワンピースにロングのスカート、ホワイトブリム。どちらかというとヴィクトリアンな感じで、時間がかかったのは長い髪をまとめてたからだろう。

あたしはしばらく口をぽかんと開けて、メイド服の絢を眺める。

いや、かわいいし、腰の位置高くて脚長いから、めちゃくちゃ絢に似合うけど……。

「なんでメイド」

「お嬢さまのお世話をするなら、メイドしかないとおもって。いえ、おもいまして」

「え、なに、そういうコスチュームプレイってこと？」

「まあ、そう」と絢は手っ取り早くうなずいた。

にしても、このメイド服だって安っぽいものには見えないし、いくらしたんだろうな……。聞くのが怖いから聞かないけど……。

下着姿のお嬢様と、本格的なメイドが、庶民的なリビングに向かい合ってるこの感じ。役に没入するのはなかなか大変そうだ。

「コスプレはいいけどさ、どういうノリでやればいいわけ？」

「鞠佳お嬢さまはいつもどおりでいいですよ。私が勝手にしますから、いろいろと」

「ごめん、とりあえず敬語はやめとかない？　なんか、ムズムズする……」

絢はちょっと悩んだ風だったけど、「わかった」と譲歩してくれた。

「公私混同の区別はつけたいところだけど、私がそう思っていてもお嬢さまのご命令とあれば、逆らうわけにはいきませんからね。お嬢さまはメイド風情《ふぜい》に対等にあつかわれることにたいして、はげしい性的興奮をおぼえるお方だからね。尊重します」

「なんかすごく設定盛られてない!?」

「いいんだよ。お嬢さまは私の主人だし、私のきもちをとっくにわかってるからね。どうぞメイドを己《おのれ》の欲望のために使い潰《つぶ》してください。それが、美しい鞠佳お嬢さまにお仕えする私の唯一のよろこびだから」

「どうしよう絢、今回レベル高すぎて早くもめげそう」

絢はにこりと笑って壁際に立った。おそばに控えてる。

まあ確かに、我が家にやってきて料理してくれたり、お風呂洗ってくれたりする絢はメイドで、あたしが女主人っていうのはしっくり来るような気はしないでもないけど。

しかしメイドねえ……。これってつまり、あたしにワガママ言えってことでしょ？

「もしかして絢ってホントはMなの？」

絢は淑《しと》やかに微笑んだ。なによその反応。

「お嬢さま、古来よりこういう言葉があります。サービスのS、満足のMと。かねてから、Sというのは奉仕する側であり、Mというのはきもちよくされる側なんですよ」

「うん……うん？」

「それはそうとして鞠佳のお世話をしたい願望はあった。鞠佳がある日とつぜん、精神年齢三歳になっても、ちゃんと鞠佳を一人前のレディに成長させるから、安心して」

SとかMとかじゃないな。絢はヘンタイのHだわ。

いや、ちょっと待って鞠佳。これいかにもあたしに都合のいいシチュエーションみたいになってるけど、騙《だま》されるなよ。してほしいこと、なんでもメイドに命じなきゃいけないってことでしょ。

キスしてほしいときは口に出して『キスして』とか言わないと、してくれないやつだよ！

キスぐらいだったらまだいいけど、その先とかも……。

ほら、やっぱり羞恥《しゅうち》プレイじゃん！

あたしはむむむと顔をしかめて絢を見つめる。髪をまとめたメイドは「どうかしましたか、お嬢さま。なにかしてほしいことでも？」と余裕げな澄まし顔。ふふ、そろそろ気づいたみたいだね鞠佳、って悪い顔してる……。

いいもんだ。どうせ最終的には負けることになるんだろうから（悟り）、今はワガママ言ってやるもん。

「ね、ね、絢」

「はい、なんですか、お嬢さま」

「つめやって、つめ」

手をぷらぷらさせたあとに、絢へと腕を投げ出す。やってきた絢は隣に座って、あたしの手を取った。

「つめ？」

「うん。ほら、絢って毎日つめ磨いてるでしょ。マニキュアはつけてないけど、トップコート塗ってピカピカにしててさ。だから、あたしの爪《つめ》も磨いてくれる？」

「もちろん。お嬢さまのご命令だったら」

絢は自分のボストンバッグを引き寄せて、爪磨きのセットを取り出した。「では失礼するね」

と前置いて、あたしをダンスに誘うみたいに手を取って、そこに爪やすりのエメリーボードをかけ始める。

しゅしゅしゅ、というわずかな振動。前のめりになってあたしのつめを磨く絢の表情は真剣そのもの。そのご奉仕姿を見下ろしながら、あたしはなんだかドキドキしてた。

メイド姿の絢につめを磨かせてると、本当にご令嬢と従者って感じする。今この瞬間、あたしは絢を完全に独《ひと》り占めしてるんだ。うん、ちょっといいかも。

絢が不意に上目遣いでこっちを見てきた。それだけでドキリとする。

「お嬢さまのつめ、小さくて丸くて、かわいらしいね」

「そ、そうかな」

「うん、毎日磨いてあげたい」

顔を近づけた絢はそう言って、磨いたばかりのあたしの中指を口に含んだ。ちゅ、ちゅ、と音を鳴らしながら指の横に口づけてゆき、舌を這《は》わせてくる。ひょえ。

「ちょ、ちょっと絢……」

「私、この指好きだよ」

「あ、あたしも……好きだけど、絢の指」

「そりゃあ、鞠佳お嬢さまのことを、いちばんきもちよくしてあげる指だからね。だからちゃんと大切に、いつも短くしようって決めて、お嬢さまとお付き合いさせていただいたときから、

毎日磨いているんですよ」

それでだったのか……。マメにしてるなーとしか思ってなかった。

メイドの絢はつめを一本磨き終わるごとに、その指にいちいち口づけをしてゆく。まるで所有権を主張するかのように甘噛みして、歯型をつけてった。

おかしいなぁ……。あたしが命令して絢につめを磨かせてるはずなのに、なんで一方的に愛撫されてるみたいな気分になるんだろ……。

変な気持ちにさせられながら、ようやく絢が両手のつめを磨き終わった。あたしは両手を広げて、お嬢様っぽさを意識しつつにっこりと微笑む。

「うん、ありがと、絢。おかげできれいになったわ」

「そうだね、鞠佳お嬢さま。では引き続き、足のつめのほうもやっていきますので」

「ちょっ、まってっ」

そこまでやれって言ってない！　ずるりと足を持ち上げられた。絢はその足を膝の上に乗せる。ソファーから滑り落ちそうになりつつ、なんとかとどまったあたしは、横になりながら足を絢に投げ出してる体勢だ。あ、絢ってば……！

「はい、おまかせされてね」

有無を言わさず、絢は自分のバッグから出した除菌ティッシュで、あたしの足をくまなく拭いた。用意がいい……。

それからあたしの足先を摑んで、つめにやすりをかけてゆく。

「な、なんか、くすぐったいんだけど……」

「鞠佳お嬢さまはどこもかしこも敏感ですね」

手のひらでむき出しのふとももを撫でられた。くう。こっちは下着姿だってのに。

「さ、最近肉がついてきたので、あまり見ないでもらえると助かります……」

だって哺乳類は、冬になると肥《こ》えてゆく生きものだから……！　夏には、夏にはまた痩《や》せるから……！

絢はそれこそ子どもの頃から見守ってきたメイドさんみたいに微笑んだ。

「ぜんぜん。お嬢さまはとても細くて、きれいですよ。足の指だってほら、こんなにちっちゃくて、かわいい」

まさかと思ったが、やっぱりやられた。今度は足の指へとその艶やかな唇を近づけて、ちゅ、とキスしてきたのだ。ひえぇぇぇ……。

「や、やだ……きたないってば、絢……」

「さっきちゃんと拭いたでしょ？　だいじょうぶ、甘いよ。鞠佳お嬢さまの味がする」

ううう……。あたしは思わず顔面を両手で覆《おお》った。その間も絢は唇を鳴らしてる。高級な下着を身につけたあたしに、メイドの絢が奉仕する光景は、なんかいつもより卑猥《ひわい》に見えた。非日常感のせいだろうか。

「女の子の足の小指ってかわいいよね。まるで赤ちゃんの指みたいにちっちゃくて、すこし力をこめたら、簡単に折れちゃいそうで、かわいい。……あむ」

「……あっ……うぅ」

ときおり、ふとももにも触ってくるからぜんぜん油断できず、あたしは早く終わってと願いながら、絢のご奉仕に耐えきった。足の指十本全部にも自らの唾液をつけてマーキングを完了させたメイドは、満足げに微笑む。

「ほら、きれいになったよ、鞠佳お嬢さま。さ、次はなにをしましょうか?」

「きゅ、休憩……いったん、休憩で……」

「そうだね、そろそろお夕飯にしよっか」

絢はすっくと立ち上がり、息を切らしたあたしを置いて台所へと引っ込んでいった。

はぁ、はぁ……。てか、ご飯の準備をするクラシックメイド、日本のご家庭に似合わないな……。

とりあえずなんとか心拍数を整えて食卓につく。下着姿なのが落ち着かないけど!

きょうのごはんは生姜焼《しょうがや》きだった。お嬢さまとメイドのシチュエーションに特に合わせる気はないらしい。刻んだキャベツがたっぷりあって、そこにはなぜかブロッコリーが添えてあった。お味噌汁《みそしる》はあおさとお豆腐《とうふ》。やや薄味だけど、おいしい。

「シチューにもたくさんブロッコリー入ってたけど、絢って野菜好きなの? なんか肉食なイメージあったんだよね」

「それはいつもお嬢さまを食べてるからじゃない？　ふだんは野菜ばっかり嚙んでるよ。ほうれんそう、アスパラガス、ゴーヤ、白菜とか」

「食べてるって、言い方……てか、なんでそんな野菜好きなの？」

「野菜おいしいよ。草の味がして」

草の味。まったく共感できなかった。まあ絢だしな。

「絢って箸《はし》の持ち方もきれいなんだねー」

「ん。まあ、うん」

背筋を伸ばしてもぐもぐとご飯を食べる絢は、見てるこっちが居住まいを正さないといけなくなるような雰囲気があった。所作ひとつとっても、かっこいいなあ。

「鞠佳こそ、勝負下着でごはんたべてるの、行為と行為の合間に服きてる時間すらも惜しむような、退廃的なかんじがあってすごくいいね。グッとくる」

「これはあんたのせいでしょうが」

「しつれいしました、お嬢さま。だけど原因の半分はお嬢さまだよ。そんなに魅力的なからだをしているせい。目の毒だね。だからこれからもうちで食べるときは、ちゃんと下着姿になってくれる？」

「やだよ！　なんてメイドだ」

これからどんどん寒くなってきたら、ぜったい風邪引いちゃうぞ。

絢の作ってくれたごはんは、きょうもとっても美味《おい》しかった。……まああたしも、メイド服のお上品な絢の姿を見て、目の保養してたんだけど。

ふたりで分担して洗い物を終えて。絢が「さ」とあたしを促《うなが》してきた。

「次はどうする？　お嬢さま」

えーと……。おなかもいっぱいになったし、そろそろベッドに……みたいな気分ではある。気分ではあるんだけど……。ど、どうしようかな。恥ずかしいな。

いまだに自分から誘うことには慣れない。昨日みたいな襲い受けは例外だ。絢はどうなのかな、ってチラチラ見てみると、そのメイドはガサゴソとバッグを漁《あさ》ってた。

「じゃあ、ＤＶＤでも見ようか？」

その提案にはあんまり興味なかったけど、まあいっかって感じで「あ、うん」とうなずく。絢がうちのプレイヤーにＤＶＤを入れて、テレビをつけた。

「なんのＤＶＤ？」

「平民の映像、かな」

インスタ映えで有名なスポットに群がる女子高生の集団とかだったらヤダな……って思ってると、だ。

テレビにいっぱいに映ったのは、あたしだった。

「へ？」

これ……。一瞬で思い当たる。

今度こそ、期末テストの罰ゲームのときの、ハメ撮り映像じゃない……？

わ、わざわざＤＶＤに焼いて持ってきたのか、絢……。なんでそんな手間のかかることを……。目が合った絢は、清楚《せいそ》な笑みを浮かべる。

「ほら、お嬢さま。お嬢さまの好きな、平民の女の子がこれからあられもなく喘《あえ》ぐえっちな映像ですよ」

「もともとこのプレイをするつもりだったのかー！」

「なんのことかちょっとわかんないけど」

「な、なんでごまかせると思ってるのよ……！」

画面の中の鞠佳が絢に質問されて、たじたじになりながらも答えてる。

『経験人数は？』

『ひ、ひとりだけだってば……。今の恋人が、初めての、人……』

『じゃあ、エッチは好き？』

『うう……好き、かな。優しくしてくれるのが、好き。でも別に、エッチだけが好きってわけじゃ……』

やばいもう、恥ずかしくて死にそう。誰か今すぐ画面の中のこいつを黙らせてほしい。顔面を手で覆う。

「お嬢さま、この人、ほんとにいやらしい顔してるよね。平民の女の子って、みんなえっちなことが好きなのかな?」

「そ、そ、そうね……。お金がなくて暇ばっかりあるから、すぐそういうことばっかりしちゃうのかしらね……」

なにキャラかわかんないけど、あたしは画面の中の女の子を自分と切り離すようにがんばってみた。すると、絢はソファーの後ろにするりと回ってきて、抱きつくようにあたしの胸へと手を伸ばしてくる。

「あ、あ、あの、あ、絢さん?」

「ただ映像をみているだけじゃ、退屈しちゃうだろうからね。ちょっとした刺激を」

「そ、そう?　気の利《き》くメイドさんだこと……」

『ひゃう!』と画面の中の鞠佳が喘いだ。カメラをもってる絢が手を伸ばして、いきなり下のほうを触ったのだ。鞠佳は涙目でこっちをにらみつけてくる。

『きゅ、急にされると、びっくりするってば……』

『鞠佳がしてほしそうな顔してたから。言葉責めだけじゃやだ、ちゃんとして、ちゃんと愛して、って』

後ろからぐにぐにとあたしの胸を下着越しに揉《も》んでるメイドの絢が、耳元に艶《なま》めかしい息を吹いてくる。

「平民の女の子、すなおじゃないよね。だってお嬢さまも見てたでしょ。いまの顔。あきらかに、どう見ても劣情を瞳《ひとみ》に浮かべて、こっちを誘ってたよね」

「……っ、そ、そうね。さわってほしそうにしてた……かな」

画面の中の子が『そ、そんなのしてないし……っ』と悲鳴をあげる。

あたしは当然、ハメ撮りのときに自分がなにを言ったのかなんて覚えてないし、なんだったら自分が今までこんなにえっちな顔をしてたんだって、初めて知った。

そりゃお風呂でえっちしたときに、鏡で見せつけられたりしたことはあったけど……それも、ほんの少しだったし……。

メイドの絢はあくまでも、生地の上からあたしの胸を撫で回してる。真ん中を避けるみたいに、ぐりぐりとその周辺をもてあそんでる。

「……っ、あん……うぅ……」

「お嬢さま、どうかしたの？」

「べ、べつに？　胸を押されたから、い、息が漏《も》れたかな、って……っ、ひぅ」

「ああ、そうだよね。ごめんね、お嬢さま。いまね」

あたしの耳の穴にぬるりと舌を突っ込んでくる絢。思わず背筋が跳ねた。

「ビデオに撮られながらも、あんないやらしい顔で興奮してる平民の子と同じように、ばかみたいな恥ずかしい声を出したのかな、って思っちゃって……。鞠佳お嬢さまは、品行方正で、純真無垢《むく》な、きちんとしたお嬢さまだもんね」

「そ、そうね……そんなの、あ、当たり前、じゃん……っ」

グッと歯を食いしばって、全身をぴりぴりと刺激するしびれに耐える。

けどビデオのほうはもうインタビュータイムは終わり、完全に行為へと没入してた。

『あっ、あっ、やっ、そ、それ好きっ……好きっ、絢っ、好きっ』

『知ってる。ね、鞠佳、次はどうしてほしいの？　もっと優しく？　それとも……』

『はっ、激し、くっ、もっとつよくしていいからっ、いじってっ、激しくっ、してっ』

ベッドに仰向《あおむ》けになって固く目をつむる鞠佳と、その上にのしかかる絢。ビデオにうつってるのは上半身だけだから、鞠佳がなにをされてるのかまではわからない。けど、画面外からはぐちゅぐちゅという水音がひっきりなしに流れてきてた。

あっちの鞠佳は、絢に思う存分かわいがってもらってる。その顔は真っ赤で、汗もかいてて、いつもよりよっぽど余裕がなくて、こんな姿を恋人に見られてたなんて恥ずかしくて仕方ないんだけど……でも、なんだかとてもきれいに見えた。

「あーあ、ほんとにすけべ。あんなに乱れて、ほしがってさ。きっとふだんからえっちなことで頭いっぱいにしてるんだよ。どこでもなにしててもずっと、えっちなことがしたくてたまんないの。まるで発情期のメス猫みたい。お嬢さまとはぜんぜん違うね」

絢の言葉責め。効きすぎるぅ……。

「っあ……うぅっ……ひっ……あぁ、はぁ……」

絢はまだまだ胸をいじってて、肝心な場所には触ってくれない。

初めて絢にAV見せられたときのことをちょっとだけ思い出す。それは当時大学生だった可憐さんのえっちな映像で、その日胸がドキドキしてなかなか寝付けなくなるぐらい、やらしかった。あんなの、自分には関係ない遠い世界のことだと思ってた。

なのに、今映ってる映像の鞠佳は、あのとき見た可憐さんとぜんぜん変わらないぐらいきもちよさそうにしてて、まだ十七歳のこの子の将来が心配になっちゃいそうなほど、いやらしかった。

たった半年で鞠佳は絢にこんな風に、徹底的に落とされちゃったんだな、ってあたしは心から思った。

けど、それはなんだかすごく幸せそうで。

『ねえ、鞠佳。また聞かせて。鞠佳はどんな風にされるのが好き？』

『あっあっ、絢の、絢の指でっ、そこっ、されるのっ、好きっ……っ、ああっ、つまんだりっ、されるのも好きっ、指で、中を、されるのもっ、ぜんぶっ、ぜんぶ好きっ！』

画面の中の素直な鞠佳は愛されて、絢になんでもしてもらってるのに。

なのにあたしは、なんでこんな、まだ焦《じ》らされたままで……ずるい。

「ねえ、絢ぁ……」

振り返って、絢を熱っぽく見つめた。

堪《こら》え性《しょう》がなくて、我ながらほんと、はしたない。

でも……だって、ずるいもん……。

かすれた声で懇願する。

「あたしにも、してよ……あの子みたいに……ねぇ……」

メイドの絢は一見無表情で、いつもならわかるその表情からなにかを読み取ることはできなかった。あたしはもういっぱいいっぱいで、胸を摑む絢の手に自分の手を重ねて、唇を噛む。

「お願い……絢……」

絢の手を、ゆっくりと下のほうへと運んでゆく。

「きもちよく、して……」

あたしはソファーにのせた足を開いて、そこへと絢を迎え入れた。くちゅり、という音がして、あたしの頭は真っ白になり、絢は少しだけ笑みを浮かべた。

「えっちなきもちに、なっちゃったの？」

「そんなの……最初からずっと、なってたってば……」

「お嬢さまも、ふだんからえっちなことで頭いっぱいにしてるの？」

「ちがう、ちがうけど……だって、絢が責めるから……絢が責めると、そうなっちゃうの、あたしは……」

下着の中に入ってる絢の手は、まだ動かない。

けど、絢があたしを見る目はもう、優しかった。

「いいよ、鞠佳お嬢さま。あんまりいじわるすると、ほんとにきらわれちゃうもんね」

「きらわない、けどぅ……」

必死に、じわりと涙の浮かんだ瞳で、絢の目を見つめる。

「でも……して、ほしい………」

「うん」

絢が後ろからぎゅっとあたしの体を抱きしめてくる。

「わかった。してあげるね。画面の中の鞠佳なんて目じゃないぐらい、いっぱい、いっぱい愛してあげる」

「――」

左手で抱きしめてきたのは優しいからなんかじゃなかった。今から突き刺す右手の力がどこにも逃げないようにして、あたしの快楽神経を粉々《こなごな》にするためのものだった。

「あっ、やっ……っ」

あたしは急な刺激に目を白黒させ、口をぱくぱくする。

下半身から広がった快感は稲光みたいに、脳髄へと突き抜けてゆく。

こ、これ、だめ、やだ、だめなやつだ……。まともに受け止めたら、だ、だめになっちゃう、おかしくなっちゃうやつ……。

「鞠佳。いっぱい愛して………いっぱい、壊してあげるね」

メイドの殻を脱ぎ捨てた絢の手によって、第五段階の調教が再開される。お嬢さまの演技も壊されたあたしは、絢にかわいがられるだけのペットへと堕《お》とされて。

——そこから先のことは、よく覚えてないのだった。

お風呂に入った気がするけど、たぶんそこでもイジめられちゃったりした。

髪は洗わずに出て、ベッドへと連れてかれたのだろう。化粧水とかも、メイドの絢が全部やってくれたみたい。けど、素直に寝かせてくれるなんてことはまったくなく、さんざんそのあとも気持ちよくさせられて。

ずーっと、ずーっとあたしたちはえっちしてた。

いやらしく絡み合ってた。しかもそれは一日だけじゃなくて次の日になっても。

お風呂で髪洗って、お昼ご飯食べて、お洗濯して、絢が晩ごはんを作ってくれて、夜寝るまでの間。普段はスマホを見たり、お出かけしたり、宿題やったりするはずの時間、ひたすらえっちしてた。

何度イカされたか、もう数える余裕もなかった。卑猥《ひわい》で、退廃的で、それこそ頭がばかになっちゃいそうな生活だ。あたしには止められない。ただ、絢が気が済むまで、イカされ続けちゃうだけ。

共同生活、やばすぎだよ……。

ベッドに並んで眠りながら、絢はあたしの胸を甘いじりしてる。それだけであたしは思考のほとんどを奪われて、ピアノみたいに「あっ……あっ……」と喘いじゃってた。

「ねえ、鞠佳」

「ふぁい……」

絢の声が、あたしの脳を犯してゆく。

あたしの体はとっくに、あたしのものなんかじゃなくなってた。

「愛してるよ」

「あたひ、も……あいして、りゅ……」

もう二度と地上に下りてこられないんじゃないかって思うぐらい、空に浮かんだ楽園の出来事みたいな二日間でした。

＊＊＊

目覚《めざ》ましのアラームが鳴り、あたしは毛布からカンで手を伸ばす。何度か空振りしたところで、ようやく手がスマホに当たった。指先の感覚でアラームを止めて、寝返りを打つ。カーテンの隙間《すきま》から差し込む光は部屋をぼんやりと照らしながら、起きる時間だぞーとあたしに告げてるみたいだった。

「ふぁぁ……」

あれだけのことをされてても、翌日にはちゃんとこうして意識が戻ってるんだから、人体ってすごい。タフだなあ……。

悠愛とか知沙希、毎週こんなことしてるの……？　信じらんない。

もし大学に進学して実際に絢と同棲なんかしちゃったら、こういう日々が続くのかな。うえ、講義サボりまくりそー。

「ん……ぅ」

耳元から細いかすかな声がして、あたしは思わず息を止めた。秒速一ミリぐらいの速度でそちらに頭を傾けてゆく。

するとすぐ近く。

ていうか同じベッド。メイクもしてないくせにやたらと顔のいい女が、寝息を立てていた。少し開いた唇から、すぅすぅという息が漏れている。

……なにげにあたし、絢が熟睡してるとこ見るの、初めてかもしんない。

実は疲れが溜まってたりしたのかな。したんだよね、きっと。慣れない環境で、毎日早起きとかしてたもんね。ありがとね、絢。

にしても近いなあ、顔……。

ちっちゃな頭。スッと整った鼻梁《びりょう》。まぶたを閉じてても明らかにわかる長いまつげ。色っぽい唇と、そこからわずかにのぞく真っ白できれいな歯並び。そして、生まれたばかりみたいなツルツルの肌。

ほんと、ため息ついちゃうぐらいきれいな顔立ち。何時間見てても飽きなそう。

この子が小さな頃からこんな美少女になる片鱗《へんりん》があったんだとしたら、そりゃご家族も武道習わせたくなっちゃうよね。だって心配になっちゃうもん。しつこいナンパとか、変質者とか、怪しいスカウトとかさ。

この歳《とし》まで大きな事故もなく、心身ともに健康に育ってくれて、思わず神様にありがとうって感謝しちゃう。

ああ、きれいだなあ、絢は。

すごくきれい。外見だけじゃなくて、中身まできれいなんだから、すごいよなあ。

きょうの予定は、夜になったら絢のバイトがあるから、あたしもそのお手伝いに行くつもり。

お店を早く閉めて、クリスマスパーティーの飾り付けをするらしい。

それまではなんにもないから、思いっきり朝寝坊できるってこと。

お休みの日、大好きな恋人と一緒のベッドでする二度寝はあまりにも幸せすぎて、これが現実じゃなくて夢だったら、泣いちゃうなあ……なんてことを思いながら、あたしはまどろみに落ちてゆくのだった。

その後、あたしたちがベッドから這い出てきたのはなんとお昼も過ぎて、いい加減お腹《なか》が減ってがまんできなくなってからだった。

「食べたらシャワーあびないとね」

「そうですね……」

絢もあたしも下着だけ身につけて、リビングに向かう。なんでこんなに起きるのが遅れたのかというのは、まあその、なんだ。人間の三大欲求っていいますか。昨日あれだけしたのに、やり溜めってできないんだなって思いました。

というわけで、昨日の残りの朝昼ごはんを食べて、ひとりずつシャワーへ。だって一緒に入るとまた一時間かかっちゃうからね……。

軽くメイクして、お着替えして、よし準備完了ということで、気づけばとっくに夕方。危ない危ない、さすがに出ないと。

駅へ向かい、そこから新宿へ。一昨日から昨日にかけてずっと絢と触れ合ってたせいか、外はまた一段と寒い。すぐ近くに絢がいるのに手も繋《つな》げないし抱き合えないのって、もどかしい。帰ったらまたすぐにでも甘えられるってわかってるのに。

「どうかした？」

電車の中、正面に立つ絢をたぶん物欲しそうな顔で見つめちゃってると、そんな風に聞かれた。あ、いや、ってあたしは慌てて両手を振る。

「なんかちょっと、距離あるなあ、って」

「……ま、そうだね」

絢もちょっぴり寂《さび》しそう。

「あはは、絢はあと三日でおうちに帰っちゃうのにさ。こんな調子であたしたち、これから大丈夫かな」

冗談めかしてあたしも離れたくないなあって言うと、絢は急にうつむいてしまった。

「……これから、だいじょうぶ、じゃないの？」

「え？」

それってどういう意味だろ。だってもともと二十六日までって話なんだから、仕方ないことだし。

よくわかんないけど、きっと弱気になったり、不安になったのかな。あたしは直感を信じて、絢の腕をぽんぽんと叩く。

「大丈夫だよ、大丈夫。だっていつでも会えるし、冬休みだもん。すぐまたどっかに遊びにいこうよ。今度はあたしが絢のおうちにいくしさ」

「うん」

絢はそうだねって言って力なく笑う。

ほんのちょっとだけ、絢の気持ちがわかる。だってあたしたちは今が幸せすぎるから、これから先のことが上手に思い描けないんだ。今が一番で、あとは落ちるだけ、みたいな、さ。

絢はいろいろと考えちゃうから、もしかしてそれだけじゃないかもしれないけど。

あたしたちは電車の中でこっそりと手をつないだ。

お互いの手のひらの温かみはもちろんおうちで抱き合ってたときと同じで、大丈夫だよ、心配なんていらないよ、って言ってくれてるみたいだった。

「ああ、鞠佳ちゃんまで来てくれたんだ。ありがとうねー」

バーの外観はいつもどおりひっそりとした佇《たたず》まい。だけど店内にはいっぱい電飾が飾ってあったり、ツリーが中央にでんと居座ってたりで、なかなかにゴージャスな雰囲気を醸《かも》し出《だ》してた。おおー。

「わ、外と中、ぜんぜん違いますね」

「そりゃーそうでしょ。うちは観光バーじゃないんだもの、常連さんだけが居心地《いごこち》よく楽しんでくれればいいの」

明るい声で出迎えてくれた可憐さんが快活《かいかつ》に笑う。

きょうはパーティー前日だからか他にお客さんはいなくって、代わりにあたしたちみたいに手伝いに来た人があちこちをデコレーションしてた。

派手なキャバ嬢っぽいお姉さんとか、あるいは図書館司書してそうなお姉さんとか、あちこちできれいな人たちが働いてる。常連さんかな？

「私はどうすればいいですか？」

「アヤちゃんは去年みたいに、ツリーの飾り付けお願い。鞠佳ちゃんはあっちのテーブルで、クリスマスカードを折ってもらっていいかしら？」

「お安い御用です！」

あたしと絢はそれぞれコートを脱いで、仕事へと向かう。可憐さんが「うーん、現役《げんえき》の学生は使い勝手いいわねえ……」としみじみ言ってた。いいんですよ、さんざん使ってください。きょうは起きてまだなにもしてないので！

「あら、マリーもお手伝い？　今年は初めてよね。ワタシが教えてあげるわ！」

「アスタと共同作業かー……」

するとテーブルにいたアスタロッテことアスタが、にかっと笑う。金髪碧眼《きんぱつへきがん》ツインテールという、非日常を体現したような中学三年生の美少女だ。

目は大きくて、鼻は高くて、流暢《りゅうちょう》な日本語を操《あやつ》るＹＵＲＩ好きな女の子で、悪い子ではない。けど別にいい子でもないな！　貞操観念ぶっ壊れてるし。

あと世の中にはなんとなく相性《あいしょう》悪いなーって思う人もいるよね。絢にとっての冴だったり、あたしにとってのアスタがそんな感じかな……。

「にしてもお手伝いに来たってことは、カレンといつの間に寝たの？」

「どういうことだよ」

「だってきょうお手伝いにきたボランティアの人たち、みんなカレンのセフレよ？」

「どういうことだよ！」

あたしは思わず可憐さんを見やる。あたしたちの会話を聞いてたらしい可憐さんは、「いやあねえ、たまたまよ、たまたま」って照れてた。否定してくれなかった。なんなのこの人。

えっ、全員？　ここにいる全員？　十人ぐらいいるんだけど。

「まったくもう……いいからアスタ、手を動かそ……」

アスタの仕草《しぐさ》を見よう見まねで真似《まね》して、ポップアップタイプのクリスマスカードを折ってゆく。しばらくやってると、アスタが「あら」と声をあげた。

「マリー、きょうはずいぶん爪を整えてるのね。うふふっ」

目ざといなあ、こいつ！

「べ、別に、たまたまだよ、たまたま。あっ、ヘンな勘違いしないでよね？」

「仲良きことはいいことだわ。ウンウン。よかったらきょうも手相、占ってあげる？　前よりずいぶんとレベルアップしたのよ！」

なんてアスタが嬉《うれ》しそうに顔を近づけてくるもんだから、あたしはため息をついて手のひらを差し出した。

「いいけど、ちゃんと勉強もしてる？　アスタも今年受験でしょ。てか、交換留学生ってことは、国に帰るの？　アメリカ？　イギリス？」

「違うわ。ワタシは、Kongeriket Norgeから来たのよ」

こんげりーけのーりけ？　まったくわからん。

アスタはスマホをいじってマップを表示し、「ここよ」と指してきた。

北欧。ノルウェー王国だった。えっ、そうなの？

「ぜんぜんトウモロコシ畑が似合う笑顔とかじゃないじゃん！」

「Kongeriket Norgeにだって、トウモロコシぐらいあるけど」

アスタはえへんと腰に手を当てた。

「ケド、めんどくさいから帰らないかな。ワタシは日本の高校に通うって決めてるんだもの。パパもママもきっと許してくれるわ。許してくれなかったら、そのときはそのときね！　カレンと一緒に住むわ！」

「たくましいなあ……」

初めて会ったときと同じようにエネルギッシュな笑顔を見せるアスタが、なんだか眩《まぶ》しく感じちゃった。勘違いかもしれない。

「そういえば今、がんばって新宿まで通ってるんだっけ。どこに住んでるの？」

「それ知ってる！　キミかわいいね。どこ住み？　てかＬＩＮＥやってる？　ってやつね！　マリー、近くにアヤもいるのに大胆だわ……」

アスタは上目遣いであたしをチラチラ覗《のぞ》く。いやそれちょっとかわいいからだめ。今のあたし、いろいろと敏感にされすぎちゃってる。違うから、あたしは絢一筋だから。

この子と話すと、高校二年生ってもう年だよな、って思ってしまう。可憐さんはよくアスタについていけるよね……。いや、あの人も本質はパリピだもんな。

「単純に住んでる場所を聞きたかっただけだってば」

「所沢よ」

「なんか似合う……」

けっこう苦労して絢んちまで来てたんだな……。片道一時間かかるって言ってたもんね……。そうこうしてる間に、アスタはあたしの手相占いを完了したらしく、顔をあげて瞳を輝かせながらこう言った。

「わかったわ！　マリーは……十七年間脇目《わきめ》も振らずバリネコね！　今後七十年もバリネコを貫くという結果が出たわ！」

「なに占ってんの⁉」

くそう、思う存分ボケ倒しやがってこの北欧美少女中学生……。

ひょっとしてあたしってクリスマスの準備じゃなくて、子守りのために来たの？

「それと、マリーにはまた女難の相が出てるわ。今回は刃傷沙汰《にんじょうざた》にはならないみたいだけど、ホントにマリーってば罪つくりね。あちこちで女引っ掛けてるくせに、どうしてワタシの誘いばっかり断るの？」

「引っ掛けてないからだよぉ！」

どうやらあたしは近々また厄介《やっかい》な女に絡まれるそうだ。

そうだよね。もともと絢に絡まれたのだって、そうだったんだもんね……。平和に生きたい。

ノルウェーにでも旅行にいこうかな……。

準備は九時前に終わった。アスタはきょう可憐さんの家に泊まるらしい。あたしはなにも聞かなかったことにした。淫行条例？　よくわかりませんね。

「はー……ほんっとにアスタと話してるとツッコミ疲れる！　絢ってば、よくあの子と仲良くできるね！」

並んで夜の街を歩く。

さすが新宿、クリスマスのイルミネーションがあちこちにきらめいてて、道行く人たちの心を明るく照らしてた。けどその押しつけがましい輝きがアスタの金髪を彷彿《ほうふつ》とさせるから、あたしはちょっとだけダウナーだ……。

絢はしばらく考え込んで、ぼそりと。

「そういえば私、アスタと会話した記憶が、あんまりない」

どゆこと。

「アスタっていつも一方的にしゃべってるから。てきとうにうなずいたりうなずかなかったりしてるだけで、なんか会話っぽいものになってるのかなって」

「全力で相手してあげてるあたしがめちゃくちゃ損してるだけなのか……？」

「そうだね。たいへんそう」

ぽんぽんと頭を撫でられた。くっ。

「やっぱり鞠佳、年下の後輩に懐かれたり好かれたりするの、にあうね」

「うれしくなーい」

確かにアスタは、顔だけ見ればトップレベル、絢並みの美少女だけどさあ。あいつは先輩を敬《うやま》う心がないからだめだ！　かわいがれない！

あたしはむすっとしたまま絢の腕に絡みついた。はぁ、と吐いた息は真っ白。寒いからっていう言い訳で、さらに絢に引っついた。

「早くおうち帰ろ、絢」

「そういえばごはんどうしようか」

「あ、忘れてた。んー、でもいいや、なんか買って帰ろ。今から料理するのも、絢疲れちゃうでしょ？」

「そんなことないけど」と言った絢が、意味深に微笑む。「鞠佳が私に猫かわいがりしてもらえる時間が、へっちゃうもんね」

「そっ、そういう意味で言ったわけじゃないけど！　単純に、絢が大変かなーって！」

「はいはい、そうだね、そうだね」

「もう！」って怒ったフリしてみるけど、絢の腕に抱きついたままじゃ、そんなのただ甘えてるのと一緒だ。

他愛《たあい》のない話をしながら駅前のスクランブル交差点を渡った、そのとき。

「——鞠佳？」

不意に、声がした。

あたしは驚きとともに振り返る。

こんなに人の多い新宿で知り合いに会うことなんてないだろうって高をくくってて、実際に今までは大丈夫だったわけで。

けど、確率が低いのと、確率がゼロなのは、ぜんぜん違う。どちらかと言えばあたしは目立つ方で知り合いも多いから、なおさら。

そこにいたのは、薄いピンクのファーコートを着た、西田玲奈その人だった。

「しかも、不破《ふわ》？　あー、そっか、なるほどー？　そーゆーこと」

あたしは飛び退くみたいに絢から離れた。

けど、たぶん遅かった。

西田は悠愛みたいにニブくもなければ、察しが悪いわけでもない。

「だから、最近不破が鞠佳のグループに入ってたんだー。わかるわかる。そーゆー。なるほどね？　確かに『カレシ』ができたわけじゃない、ってことね」

バレた。

バレた。どうしよう。え、なにが？　って悪あがきしてみようか……？　ううん、そんなの意味ない。汗が止まらない。どうしよう。みんなにバラされるかも。

躊躇《ちゅうちょ》してる間に、絢が西田の前に立った。まるであたしを守るみたいに。

「鞠佳と私は付き合ってるよ。けど、それがどうかした？」

片眉《かたまゆ》を釣り上げた西田に、あたしは反射的に叫んでた。

「い、言わないで！　他の人には！」

驚きながら、絢が振り返ってくる。

ごめん、やっぱりあたしは、絢みたいには割り切れない。

女の子と付き合ってるって知られたら、学校で積み上げてきたあたしのイメージが変わっちゃう。榊原鞠佳は、あたしが丁寧に作り上げた、大事なあたしのブランドだ。人気者でいるために、たくさん努力をしてきた。それを台無しにされたくない。

けど、そんなのどうだって——はよくないけど、別に、それだけじゃないから。

信号が変わりそうになり、西田はゆうゆうと道を渡る。あたしはそのあとを小走りに追いかけ、そのさらに後ろを絢が続いてきた。

「へー、あの鞠佳がそんな必死になるなんて、めっずらしーね。いっつも余裕たっぷりで、キラキラしててかわいくて、自信にあふれてる鞠佳がさ」

「あたし、そんなんじゃない」

「玲奈さんにはあんま気持ちわかんないけど、やっぱ女同士で付き合ってるとか、知られたくないもん？」

「当たり前でしょ」

「鞠佳」

後ろから、不安げな絢の声。あたしは路上で西田の腕を掴んで引き止める。

「知られたくないよ。——こんな形じゃ」

「……なにそれ？」

　あたしがどうしたいのかっていうのは、秋に絢とその話をしてから、ちょくちょく考えてたことだから。

　振り返ってきた切れ長の目をした西田を見つめながら、あたしはちゃんと間違わないように告げる。

「ていうか、そりゃそうでしょ。余計な冷やかしをされたり、からかわれたりしたくない。でも、それが嫌ってわけじゃなくて……そんな風にネタにされたら、あたしはきっと空気に流されて、その場のウケ狙《ねら》いでウソついたり、本心じゃないことを言ったりするだろうから……。あたしは、そんな風になっちゃう自分がやだ」

　あたしと絢が付き合うってなったら、そりゃもう大勢から好奇の視線を浴びることになるだろう。あたしは表向きオープンにして、ヘンなイジりにも明るく返そうとするはずだ。だって今まではそうしてきたから。

　けど、バレちゃったらもう、今までと同じようにはできない。

　あのとき、西田が言った『女だけでとか、それ寂しくないー？』の言葉に、うまく返せなかったように。

　だから言わない。これから変わっていこうとしてるあたしには、まだ言えない。これは能力の問題。どうにかできる力が、あたしにはまだ絶対に足りてない。

隣に立つ絢にも目を向けて。

「絢と違って、あたしって誰にでもいい顔するでしょ。けどそれ、別にウソでやってるわけじゃなくて、あたしは学校が好きだし、そこでなんとなくノリを合わせて楽しくやってこうって感じの前向きな感じ、好きなの。好きだからやってるだけ」

西田にだけじゃなくて、絢にも伝えられるように、話す。

「普段あんま話さないけど、たまにしゃべって笑い合うような子だって、友達だよ。けどさ、人と違うことって気を遣わせちゃうじゃん。それがいいとか悪いとかじゃなくて。楽しいだけの話をするときに、そういうのって別にナシでいいと思うから」

だってあたしは、大切だから。あたしの周りにいつもある、楽しい空気が。

鞠佳というキャラを作って、明るく振る舞って、ちゃんと努力して作り上げたその空気がさ。

うまい返しができないなら、言いたくない。だってあたしは空気を、シラけさせたくないから。そんなこと？　って思われたとしても、大切なんだ。

絢は絢で、あたしはあたし。

絢みたいにちゃんと自分を貫ける人とか、あたしみたいに周りの空気を読みながら生きてく人とか、別にどっちが正しいとか間違ってるとかじゃなくて。

あたしたちはお互いが好きだけど、でも違うところも好きだから。

「だから、あたしは伝えたほうがいいって思う人にだけ、これからも伝えたいの」

知沙希や悠愛には伝えたほうがよかったんだなって思った。おかげで、知沙希や悠愛の想いを知ることができた。あれに気づけたのは、絢のおかげだ。これからも、もしかしたらそういう人たちが現れるかもしれない。

けど、誰にでもってのは違う。伝えないことが誠実な選択肢で、伝えることが自己顕示。そんなことだって世の中にはある。

あたしの言葉を聞いた西田は髪を耳にかきあげて、わずかに微笑んだ。色がなくてちょっと怖いような笑みだった。

「ふーん、鞠佳ってば、まっじめー」

「……あんたが知らなかっただけでしょ。あたしは案外まじめなの」

勉強だってできるんだぞ。絢には完敗したけどな！

西田の第一声は、とりあえずなにか言わなきゃいけないからって感じの声でしかなくて、本命はその次にやってきた。

「鞠佳ってさ、けっこー傲慢だね」

スッと細められた西田の視線が、あたしに刺さる。

「……え？」

「だってそれさ、誰とでも仲良くするくせに壁を作って、ホントの友達は自分で選別するってことでしょ？　相手がうまく空気を読んでくれるかもなんて、微塵《みじん》も信用してない。向こうは鞠佳のこと、親友だと思ってるかもしれないのにさー」

　ドキッとした。そんなのあたしだって自覚してる。けど。

「壁とかじゃないって。あたしはそういう楽しいことだけする間柄も好きってだけ」

「ま、いーんじゃない？　賢いと思うよ、そーゆーの。ちゃんとしてるし、一線引いて好感がもてる。だって鞠佳は他のやつらと違って、もってるもんね。今さら与えられてもウザいだけ。ほしーものは自分で選ぶんだよね。いーよ。誰にも言わないってば」

「なにその言い方……」

　西田はすぐに、毒でも撒《ま》き散らしてるような鮮やかな笑顔を浮かべた。

「玲奈さんと鞠佳の仲っしょ？　代わりに合コンね、とか、もちろん言わないからー」

　はははと声を上げて肩をぱしぱしと叩いてくる西田に、あたしは不穏なものを感じる。なんだこいつ、なに企《たくら》んでるんだ。ただのパリピじゃないのか？

　肩を組んできた玲奈が耳元にささやいてくる。

「しっかし、鞠佳がマジになるなんてーね。ねえ、女同士ってそんなにいーもん？」

　少しハスキーな声が耳を抜けて、あたしはゾクッとした。またあんたまであたしに興味あるとか言わないでよね。榊原鞠佳はテイスティング用女子じゃないんだぞ。

「お、女同士とかじゃなくて、あたしは相手が絢だからっ」

「あーはいはい、そーゆー感じね。りょ。ま、ふたりっきりの時間邪魔して悪かったねー。……

だから、そんなに睨まないでよ、不破。言わないであげるって言ってんじゃん。末永く、カノジョとお幸せにねー」

口元に笑みを浮かべた西田は絢を指差し、バイバイと手を振って去ってゆく。あたしと絢は雑踏の中で、その背中を見送った。もう一度追いかけることはできなかった。

「……なにあいつ」

「鞠佳」

ふたりになってもまだ、絢は不安そうにあたしを見つめてた。へーきへーき、けっこうタフだからね。あたしは大丈夫だよ、絢。

「ごめん、ここ新宿で目立つから、西田さんを投げ飛ばしたら鞠佳に迷惑かかるかなっておもって、できなかった」

「うん、やめてね⁉　大丈夫だから！」

あたしが叫ぶと、絢だけじゃなくて、周りの人たちまでビクッとしてこっちを振り向いてきた。もしやってたらあたしたちそのまま交番行きだよ。筋肉じゃなくてちゃんと脳で考えて。

「いやあ、西田はいいよ……。きっとあたしに利用価値があるって思ってるタイプのやつだろうから。お互いラインを取り合うような衝突はするけど、さすがに絢とあたしのことを話したら全面戦争勃発しちゃうからね。下手《へた》なことはしないよ」

「そうなの？」

「西田は業界人だからね。モデルしてるし。そこらへんはよっぽど意識高いよ」

そう、だからあいつは最低なめられなければ、別に学校の地位なんてどうでもいいはずなのだ。昔の絢みたいに。

なのになんであたしにちょっかい出してくるのか。まさかほんとにあたしのこと好きとかじゃないよね。Ｓっケのある女は、隣のこの子で足りてるんだよなあ。

「てかさ、なんかどさくさに紛れて、いろんなこと言っちゃったけど……こんなタイミングで、ごめんね」

クラスにカミングアウトするかどうかって話だ。相談もせずに西田に突きつけたから、これがあたしたちの総意みたいになっちゃったのは、正直に申し訳ない。

絢は「ううん」と首を振った。

「いいよ。ていうかよく考えたら、鞠佳が女の子と付き合ってるって知られたら逆に、自分にもワンチャンあるかもって思った子が殺到してくるかもだし」

そう言って笑う絢は、あたしの頭を撫でた。さっき見られたばかりだってのに、もう気にしてない。図太いんだかなんなんだか。

しかし、絢はすぐにあたしの気持ちを尊重してくれた。それもかわいいジョークを添えて、だ。こんなにできた彼女っている?

まったくもう絢ってば、ほんとすごいよ。

「鞠佳のきもちを聞かせてくれて、ありがとね。真剣に考えててくれたんだね」

「そりゃ、まあ」

あたしはきらびやかな新宿の夜をバックに、絢から目をそらしつつ。

頭の中は西田の言った言葉がいろいろとぐるぐる渦巻いてたりしたけど、それはそれとして、最愛の彼女があたしの考えを認めてくれたことが嬉しくて、精一杯気取ったセリフを告げた。

「真剣に、恋してますから」


途中でお弁当買ったあたしたちは、帰ってごはんを食べてから、一緒にお風呂に入って、軽く抱き合って、一緒のベッドで眠った。それはとっても幸せで、ちょっとのストレスなんてすぐに忘れてしまえるほどの破壊力だった。

そうしてようやく、待望のクリスマスパーティーの日がやってくるのだった。

第四章

「鞠佳《まりか》ー？」って男の人の声がして、あたしはハッとして目覚《めざ》めた。

なんだかんだ昨夜もすることしちゃったあたしたちは、朝寝坊どころか昼寝坊をキメちゃってたんだけど。

え、ちょっと待って。家に誰《だれ》かいる？　ちょ、あの。

身を起こしたあたしの目に入ったのは、まさしく叫びだしたくなるような惨状《さんじょう》。

あたしは全裸でショーツすら穿《は》いておらず、髪はボサボサ、たぶん汗臭い。

さらに隣には、上下下着姿の絢《あや》が寝息を立ててる。眠り姫みたいにきれいで、無防備な寝顔がかわいい。じゃなくて。

あたしたちの衣服はあちこちに脱ぎ散らかされており、化粧水やらドライヤーやらがテーブルの上にごちゃっとある。まるで事後。いや、まるでもなにもないんだけどな！

ってか、近づいてくる！　こっちに近づいてくる！　ああああ、とりあえず下着だけ回収して布団の中に放り込んで絢も隠してえええ！

ぎゃあノックがあああ！

「鞠佳ー？」

「って、お父さん⁉」

「うん、父さんだよ。ただいま」

お父さんは部屋のドアを控えめに開けた。あたしは隣に眠る絢を隠すみたいに、慌てて口元まで布団をかぶる。

うちのお父さんはまるでジブリに出てくるみたいな、のんびりとした感じの人だ。どっちかというとあたしの素《す》の性格は、お母さんよりお父さん寄りだったりする。

「ど、どうしたの？　お仕事は？」

ベッドに絢と一緒に潜り込んだまま、風邪で学校休んだときみたいにお父さんを見上げる。ドキドキがやばい。心臓が口から出そうマジでマジで。

「それなんだが、きょうはどうにかこうにか休みが取れてなあ」

「えっ⁉」

や、休みってことはつまり、えっ、きょう一日家にいるってこと……？

夜中遅くまでクリスマスイブのパーティーいってくるあたしと絢に、ダメです門限守りなさいとか言い出すってこと⁉　こ、困りすぎる！

「そ、そうなんだ……。よ、よかったねえ……？」

「うん、よかったよ。だからね」

お父さんは持ってた旅行鞄《かばん》を嬉《うれ》しそうに掲げた。小熊《こぐま》みたいな笑顔だ。

「きょうのクリスマスイブは、母さんとお泊まりしようと思ってね」

「……へ？」

「あの病院って、お金を出せば個室にもうひとつベッドを置いてくれるらしいんだよ。いやあ、ふたりきりで過ごすなんて何年ぶりかな。鞠佳が生まれて以来だから、もう二十年近くになるかあ」

「はあ」

あたしはぱちくりと瞬きする。

ええと、つまり。

「お父さん、お母さんと一緒にきょう病院泊まるの？」

「うん」

「そのために、わざわざ北海道から帰ってきたの？」

「そうだよ」

めっちゃドヤ顔された。されたけど……嬉しいの？　それ。

「一緒に過ごすって言っても病院でしょ？　どこかに遊びにいったりとか、夜景の見えるレストランで豪華ディナーとかできないんでしょ？　病院着で、病院食でしょ？」

「うん、まあそうなんだけど」

あたしが突っ込むと、お父さんは口をもごもごさせてから、腕を組んだ。

「でもな、鞠佳。父さん今からちょっと恥《は》ずかしいこと言うぞ」

「え、やだな」

「いや、言う。言いたいから」

言いたいなら仕方ない……一応お父さんだし、学校に通わせてくれてるし、言わせてあげよう。お父さんはそれでも少し恥ずかしいのか、もじもじと顎《あご》を撫《な》でながら。

「別に場所なんて関係ないんだよ」

「いやでも、場所がよければ、もっとよくない？」

「それはそうだけど」

お父さんは女子高生の減らず口に顔をしかめたあと、静かに首を横に振った。

「でも、あいつと過ごせるっていうのが、一番大事で特別だからな。ダントツ一位でぶっちぎりの優勝。その他は、些細《ささい》なことだよ」

「え、かっこいいじゃん」

「だろ」

調子に乗りやすい榊原家《さかきばらけ》の人間は、えへんと胸を張る。それに関してはちょっとだけカンに触ったものの、まあいいこと言ったし許そう。そうだよね、あたしだって絢と一緒なのが一番大事だもんね。たぶん、病院でも。

わかるわかる。さすが大人……って感心とかしちゃってると、だ。

不意打ちだ。誰かの手があたしのふとももを撫でた。全身が総毛立つ。誰かって絢しかいない。隣から小さな声で「……まりかぁ……」という寝ぼけてるみたいな声。いや、あの……今、ちょっとお父さんと話してて……あの……。

あたし、今全裸で、そこらへんナマなんで……やめてもらえます、かね……？

「そういえば」

ってお父さんは、キョロキョロと部屋の中を見回して。

「お友達が泊まってるんだったよな。今はどちらに？」

「えっ⁉　あっ、やっ、あの……お、お母さん！　お母さんの部屋で寝てて！」

慌てて叫ぶ。今、布団の下で腰に抱きついてきて、妖《あや》しく手を動かしてます、だなんて言えるわけがない。

って待って！　絢さん、そっちはまずいです！　付け根のほうに手を動かしてくのはほんとまずいから！　困ります！　お父さんがいるんです！

「そっかあ。さすがに起こしたら悪いな」

ちょ、まじお父さん、久しぶりに顔見たのにごめん。でも一秒でも早く空気読んで出てってほしい。

「そ、そうだよ、ねっ！」

やばい。穿《は》いてないあたしの敏感な部分に、絢の手がちょっぴり触れた。あたしの声がはねる。絢ってば、ほんとに寝ぼけてるんだよね⁉

「けど鞠佳、休みだからって昼まで寝てるのは、父さんどうかと思うぞ」

「うっ、うん、そ、そうだね、そう、だねぇ……」

あたしのおしりをさわさわと絢が撫で回してくる。腰が抜けるような優しい気持ちよさがじんわりと広がる。

あ、絢ってば……いい加減に……。これ、普段のプレイと違って、バレたら大変なことになっちゃうんだぞぉ……。

ああもう、だめだってそこは……あとでいくらでもさせてあげるからぁ……。

なんなのぉ……寝ぼけてるくせに、ぐりぐりしないでよぉ……今はだめ、きもちよくするの、だめぇ……お父さんに声聞かれちゃうってば……っ。

「よし、じゃあそろそろ行くよ」

「う、んぅ……っ」

必死にコクコクとうなずく。

「お友達によろしくな」

もう目元まで布団を引き寄せたあたしは、その下で声を出さないように人差し指を噛《か》んでた。

でも、もうだめ。だめ。

あたしは腰をがくがくと痙攣《けいれん》させる。絢の指がいじくってるところがキュッと収縮して、ぴくぴくぴくと震えた。

……信じらんない。こんなに簡単に、きもちよくさせられちゃった。この一週間で、感度あげられすぎ……。

お父さんは気づかず、部屋のドアを閉める。廊下の足音が遠ざかっていって、玄関のドアが開閉し、やがて家の中から人の気配が消えた。

直後。

「絢！」って叫びながらあたしはがばっと布団をめくる。寒さと眩《まぶ》しさに体をぎゅっと縮こませた絢が「まりかぁ……？」と、寝ぼけ眼でこっちを見上げてきた。

あたしはぷるぷると震えながら、腕を振り上げる。

「——絢のバカ！」

あたしの平手が絢の後頭部を打って、目覚まし時計みたいないい音を奏《かな》でた。

「ごめんなさい」

「死ぬほど恥ずかしかった」

「……ほんとにごめんなさい」

「死ぬかと思った」

あたしと絢はお部屋でそれぞれテーブルに向かってメイクをしてた。むすっと語るあたしに、絢はずっと平謝り状態。そりゃそうでしょ。お父さんの前で下半身いじられてイカされるとか、下手《へた》したら一生物のトラウマになるでしょ。

絢は静かに首を横に振った。

「にしてももったいないことをした。鞠佳を心から恥ずかしがらせたのに、覚えてないなんて、なんて失態……」

「反省してください！」

「はい、ごめんなさい」

はぁ、とあたしはため息をついた。口を尖《とが》らせる。

「他の人を巻き込むのは、なんとかなりそうな人まで、だからね。今回は寝ぼけてたから仕方なかったけど、次はぜったいだめだよ。別に、ふたりっきりだったら、だからね……たいていのことは、してあげてるでしょ」

後半は惚気《のろけ》っぽかったから、恥ずかしくてささやくような声色《こわいろ》になってしまった。絢は真剣な顔でうなずいた。

「わかった。じゃあコートの下は裸でコンビニいくとかは？」

なにが『じゃあ』なのか。

「寒いからやだ」

「夏場なら？」

　え、なんで食い下がってくるの。

「うーん……バレなければ？　あ、でも、近くのコンビニはやだな……」

「わかった」

　絢は手帳を取り出してなにかを書き始めた。これぜったい罰ゲーム書いてるでしょ。あたしにさせる気満々でしょ。もしもの話じゃなかったの？

「うん、夏がたのしみだね、鞠佳」

「海水浴の計画を立ててるんじゃないんだぞ！」

　なんでナチュラルにあたしが露出プレイする流れになってるの！

　モラル的にオッケーかダメかってだけの話で、恥ずかしいものは恥ずかしいんだから！　あたしは露出とかぜったいしないからね！　ぜったい！


　そんで昨日ぶり、夜の新宿。待ちに待った、クリスマスイブのパーティーへ。

　絢は準備があるので、少し早く家を出た。あたしはちょっと遅れて、パーティー開始の十八時に間に合うようバーへ。ついたのは十分前。

　お店付近でウロウロしてると、知沙希《ちさき》と悠愛《ゆめ》が来たので速やかに合流。いえーいと意味もなくハイタッチする。ＪＫっぽいノリだ。

「メリークリスマス」

「めりくりー！」

スキニーパンツとジャケット着用で大人っぽい格好の知沙希に、ファーでめちゃくちゃ女の子っぽさを前面に押し出してきたかわいい格好の悠愛。コントラストがめっちゃ映《は》えてるし、こういうカップルって最高だと思う。

「メリクリー、来年もよろしくね」

「マリ、気が早い」

最近の話とかしてる間に、お店の前には次々と人がやってきた。

二十人ぐらいかな。カップルで来てる人が多くて、あたしたちみたいな三人グループはほとんどいない。けど顔なじみの常連さんばっかりだから、カップル同士があちこちでグループ結合してたりするね。

パーティー開始前のこの空気感、すごく好き。明日が楽しい日だって心から信じられる子どもの頃に戻ったみたいな、そんな気持ちになれるから。

十分経《た》って、スタッフの人が出てくる。お店のドアに貸し切りの札を提《さ》げて、どうぞ、とあたしたちを招き入れてくれた。

店内に足を踏み入れる、と。

「わ」

ぱんっ、ぱんっ、とクラッカーがあたしたちを出迎えてくれた。

「メリークリスマース♪」

先頭に立ってるのは、ミニスカサンタの格好をした可憐《かれん》さん。うっわ、めちゃくちゃかわいいし、肩出して足も出してて……なんか、すっごくエロかわいい……！

バーの店員さんは可憐さんを含めて七人。全員女性。みんなそれぞれにファンがついてるぐらい顔がよくて、その端っこに絢もいた。

可憐さん以外はサンタさんの格好をしてなくて、いつもの黒ベスト。そりゃ飲食に携わるお仕事だもんね、制服だよね。てことは可憐さん、きょう一切《いっさい》シェイカーを振る気はないってことだね。いいと思う。入場がてら、挨拶する。

「きょうはよろしくお願いしまーす」

「うん、楽しんでってね。けど、ハレの日だからって、アルコール飲料を口にしちゃだめよ？ハメを外すのは浮気《うわき》や不倫や略奪愛に留めて、節度守って遊びましょうねー」

節度とはいったい。あたしたち学生三人は戸惑いながらも『はーい』と返事した。

パーティーは会費を払うビュッフェ形式だ。カウンターからは椅子が取っ払われているので、立食してダベるのもアリ。テーブルやソファー席でのんびりと語らうのもアリ。飲み物だけ別料金みたい。

いつものノンアルカクテルを頼み、あたしたちはぞろぞろとカウンターへ。

うん、これぞパーティーって感じ。店内は華やかで、いつもと違うラグジュアリーな照明。これで気分がアガらないわけないよね！

「わ、すっごい……楽しい！　ね、楽しいね！」ってさっそく悠愛が目を輝かせた。知沙希も悠愛も実はバーに何度かふたりで来たことあるらしいけど、それにしてもいいよね、この感じ！　うーん、パーティー楽しい！　まだなにもしてないけど！

　店内では肩を寄せ合って幸せそうなカップルもいれば、あたしたちみたいに賑《にぎ》やかに騒いでる子たちもいる。

　と、そこに「ハァイ」とやってきた金髪中学生。昨日ぶりのアスタだ。

　そういえば可憐さんちに泊まったんだっけ、って振り返ると、なんと体のラインがモロに見えるような、真《ま》っ赤《か》なパーティードレスを着てた。わーお。

「な、なにそれアスタ……可憐さんの私物？」

「そうよ。どう？　似合うでしょ？」

　ふふんと自慢げなアスタだけど、いや、これは自慢してもいいわ……。

　普段大した格好してないからなんとも思ってなかったけど、ドレス姿のアスタは『本物』って感じがしてすごい。そりゃアスタが歩くたびに、人垣も割れるわ。どこのセレブだ。オーラがやばい。

「えっ、すっごーい！」って悠愛は歓声をあげてたりする。

けど。様子がおかしいのは知沙希だった。

……ん、知沙希？　そんなにアスタ見て、どしたの？　いや、美少女だし目の保養だよねーって思ってたら、なんか知沙希の顔が真っ赤だった。

　知沙希⁉

「マリーのお友達ね！　よろしくね、ワタシはアスタロッテよ！」

　悠愛と握手した後、アスタはそのままこっちに手を差し出してきて、しかし知沙希はキョドるばっかりで、その手をぜんぜん取ろうとしない。

「？　アナタ、どうしたの？　なんでそんなに緊張してるの？」ってアスタが顔を近づけてこようものなら。

「あ、う、えと、あ……あは、あはは……」

　顔を真っ赤にしてヘンな笑顔を浮かべるだけ。ちょ、ちょいちょい、隣の悠愛が、悠愛が怪訝《けげん》そうな顔してるぞ、知沙希！

「あの……えと、ちさ、知沙希って、言います……あの、か、かわいいね、いくつ？」

「十五歳よ！」

　あたしは悠愛の肩を摑《つか》む。

「ねえ悠愛！　ちょっとあっちのテーブルから軽食とってこようよ！」

「え？　う、うん」

気のせいであってほしいけど、これやばくない？

え、そういえば前にあたしは知沙希のタイプじゃないとかなんとか言われたけど……。もしかしてあいつ……ロリコン……？

な、なんてことだ……。友人の知られざる一面を目《ま》の当《あ》たりにしてしまった。

「さっきのアスタロッテちゃん、かわいかったねー」

「そ、そうだね！」

あたしは引きつった笑顔で同意する。１５０センチちょいで童顔の悠愛と、背はそれより高いけどリアル中学生でめちゃくちゃ美少女なアスタ。

果たして知沙希はどちらを選ぶのか……とかじゃなくて、いや普通に悠愛を選んでよ。浮気せずに節度を守って！

知沙希と悠愛はその後、ソファー席へと移動していった。ふたりでイチャイチャするようだ。

知沙希とアスタが連絡先交換したのかどうかは知らない。知らないほうがいいだろう……。

もらってきたチョコをかじる。わ、これ味が濃厚な高いやつだなー。

顔のいい女の強烈なパワーに感じ入ってると、絢がやってきた。仕事が一段落したようだ。

うわー、顔がいい。あたしは思わずのけぞる。絢は意味不明そうだった。

「なに？」

「いえ、美人さんだなあ、と思いまして……。ね、絢って美人でトクしたこと、損したこととか、なにかある？」

「え、なんだろ。んー……」

絢が軽く考える。

「損したことは、榎本《えのもと》先輩に刺されそうになったり、そのあとひとりになったらいろんな男の子に告白されて『俺《おれ》が守ってやるよ』とかマウントとられたり、そういうの断ってたら今度は『調子に乗ってる』とか言われて女子から爪弾《つまはじ》きにされたり、高校はいってからも似たようなこと言われて、なかなか友達ができなかったこととかかな」

「お、おう。思った以上にあった」

「けど、トクしたことも、あってね」

カウンターに肘《ひじ》をつくあたしの顔を覗《のぞ》き込み、絢はふふっと笑う。

「鞠佳にこの顔を気にいってもらえたこと、かな」

「……それ、釣り合い取れてんの？」

「とれてないね。幸せのおつりで、国家予算こえちゃうから」

出た、バーテンダー絢のキザモード。それでお客さんをみんなキュンキュンさせてるんでしょ。今のあたしみたいに！　今のあたしみたいにさ！

「それで、どうしたの？　急にそんなこと聞いて」

「いや……あたしも、アスタや絢の見てる景色を見てみたかったなって思って」

「そんなのとっくに見えてるでしょ。私は鞠佳がいちばんかわいいって、思ってるよ」

「出た出た。それは惚《ほ》れた弱みってやつだってば。悪い気はしないですけど……」

あたしが両手を振ると、絢はその手を摑んで、さらに顔を近づけてくる。

「ほんとだよ。知り合う前からも鞠佳のこと、ずっと、いつでも、かわいいなって思ってたもの。ね、私のいうこと、信じられない？」

「うう」

しかし顔を近づけられて、顔面の暴力で殴られると、なかなかうなずきにくいものでして。お互いさまなのかもしれないけど、これだけは同意できない。あたしは絢がいちばんきれいだって思ってます。

家でさんざん話してるのに、バーの絢も堪能《たんのう》しちゃってると、そろそろ時間がきたみたいだ。

「じゃあ、準備してくるから。またあとでね」

「あ、うん、いってらっしゃい」

そっか、絢の誕生日パーティーも兼ねてるんだっけ。絢はバックヤードに引っ込んでいった。

いろんな人に祝われてる絢を見て、また妬《や》いちゃうのかなあ。うーん。

あたしは二杯目のノンアルカクテルを飲んで一息。ふー、でもやっぱりバーテンダーの格好の絢、すごくかっこいい。これが惚れ直すというきもちか。しょうがない。あんなにかっこいいんだもん。きょうは独《ひと》り占めできないや。

「まあ、なかなかサマになってるとは思いますけど」

いつの間にか隣に、冴《さえ》がいた。忍者か？　気配を消してハサミで不意打ちできるようになったら最強じゃん。やめてよね。

「冴ちゃん、どこにいたの？」

「あっちのスペースに隠れていました。不破《ふわ》に見つからないように」

「なぜ……」

それがなぜかは、きっと冴自身にも説明することはできないのだろう……。

事前に言っておいただけあって、冴も清楚《せいそ》系の愛されコーデ。ロングワンピースの上に、寒さ対策のロングコートをはおってる。ベロア素材のパンプスがワンポイントで品がいい。この性格でなんでセンスいいのか謎《なぞ》だよね。そしておっぱいが大きい。

「高校生ですって言ったら、知らないお姉さん方が楽しそうにお相手してくださって、楽しかったです……不破の話で、ひとしきり盛り上がりました……」

「絢ファンクラブでも作るつもりなの？」

冗談のつもりで言ったのに、冴は目を輝かせた。

「えっ……そ、それはいいですね……いや、わたしはファンっていうか、ただの好敵手……憎むべき宿敵……そういうものなんですが、ファンクラブというのも悪くはありませんね。そうしたら鞠佳ちゃんのこと、会員ナンバー一桁《ひとけた》にしてあげてもいいですよ」

「こいびと！　あたしこいびとだから！」

「恋、人……？　なにを言ってるんですか？　不破にそんな、恋人なんて、いませんよ……？不破はずっと独りで誰にも寄りかからず、誰にもなびくことなく、強く美しく一輪のバラのように生きていくんですから……」

「現実を見ろ！」

冴、いつまで不破オタクをこじらせるんだろう……。あたしと絢が目の前でキスしたら、目を覚ましてくれるのかな。最悪の目覚めだな、眠り姫。

「てか、せっかくだし冴も、こういうところで恋人を見つけたりするのはどうなの？」

そう言うと、冴は憎らしげに笑った。

「えー？　女同士とかありえないでしょう？」

「口が？　どの口がそれ言う？」

頰《ほお》を引っ張る。いひゃいへすいひゃいへす、と抗議された。あんた今さらなに言ってんの？絢からあたしを略奪愛しようとしたこと、もう忘れたの？

「じゃあ例えば絢に告白とかされたら、あんた『女同士とかありえないでしょ』って言い張っちゃうわけ？」

「そう、ですね……。不破がわたしに頭を下げてそんなことを言ってきたら、過去の怨恨《えんこん》もすべて水に流して、まあ、そうですね、はい、ギリギリ、オッケーしてあげるでしょうね。紙一重ですよ。本来ありえないんですけど、そういうことです。特例です」

「みなさーん！　ここに失恋で心傷ついてるクソ面倒な女子高生がいますー！　恋人募集中だそうですので、誰か相手をしてやってもらえませんかー⁉」

「鞠佳ちゃん⁉」

あたしが叫ぶと、わらわらとお姉さん方が寄ってきた。

「えー女子高生ー？」「ほんと？　食べちゃっていいの？」「違うでしょ、ピュアな恋愛を教えてあげるのよ。ピュア……ピュアとは……？」「えっ、めちゃくちゃかわいいじゃん……生涯をかけて寄り添いたい……」などなど、おっしゃられてる。

あたしは冴の背を押した。

「がんばってね」

「鞠佳ちゃんー⁉」

あたしに手を伸ばしながらも、冴は連れ去られていった。

荒療治だけど、あの子はこれぐらいしたほうがいいよ……。新しい恋をして、誰か過去を忘れさせてやってくれ。それが冴のためだよ。あんなんでも、あたしの大事な友達なんだ……。

『それじゃあみんな、おまたせしましたー』

やがて、マイク片手に可憐さんがやってきた。

下品っぽいイメージもあるミニスカサンタだけど、甘かわいい可憐さんが着るとなぜか妙に清楚に見える。世界中でも上位に入るほど清楚じゃない人なのに。自分の見せ方がうまいってことなんだろう……。

『きょうの主役、アヤちゃんの登場でーす。みなさん拍手ー』

よく通った声の可憐さんがばっと手を開くと、後ろから恥ずかしそうな格好をした女の子が……女の子が、えっ⁉

な、なんかドレスに着替えてるー！

しかも、純白。まるでウェディングドレスだ。

いや、それよりはもうちょい丈が短かったりしてカジュアルな感じだけど、でもすごい、すごい似合ってる！

わー、わー。可憐さんがわざわざ用意してくれたのかなあ。すごいなあ、きれいだなあ……。

ハッ、写真、写真に撮ろ。無限に、容量が満杯になるまで……。

他のお姉さま方と同じように群がって一心不乱にスマホでパシャパシャやってると、マイクを渡された絢がおずおずと前に歩み出てきた。

パッと光に照らされる。

あっ、お話しするみたい。聞かなきゃ。あたしの、あたしの絢のお言葉。だめだ、急なドレスのせいでテンションがおかしくなってる。

『あ、あの……今夜は、クリスマスパーティーにお越しくださいまして、ありがとうございます。せっかくみなさまが楽しんでいるのに中断してしまって、すみません。この格好も私、当日までしらなくて……。きょうきたら急にこんな、びっくりしました』

誰かが「アヤちゃん、世界一きれいだよ！」って叫んだ。わかる。

『……恐縮です。あの、きょうは私にとって記念日なんです。明日が誕生日というのもそうなんですが、可憐さんと出会った初めての日が、きょう、クリスマスイブの夜だったんです』

そうだったんだ。

前に可憐さんが言ってた。初めてアヤがうちにきたのは、中学三年生の頃だった、って。つまり、二年前のきょうだ。

レースのドレスグローブに覆《おお》われた手でマイクを握る絢が、一生懸命語る。

『あの頃《ころ》の私はただの子どもで、可憐さんにもたくさん迷惑をかけてしまいました。ううん、それは今もかな。けど、可憐さんはずっと私を見捨てずに、いろんなことを教えてくれました。可憐さんだけじゃなくて……モモさん、シオリさん、ナナさん、アゲハさん、トワさん。スタッフの皆さんには、お世話になりっぱなしです』

バーテンダーの格好をしたスタッフの女性を、輝く瞳《ひとみ》で順番に見つめてゆく絢。その視線は決してブレず、絢の生きてきた軌跡を表してるかのようだった。

『もちろん、私を育ててくれたのは……このお店に足を運んでくれた、皆さんもです。つたない私の相手は、たいへんだったでしょう。辛抱強くつきあってくださって、本当にありがとうございます。働き始めて、一年と半年。私はあの頃より、成長できているでしょうか』

その答えは言葉よりも確かに、絢を見つめるお客さんたちの顔が物語っていた。アヤちゃんは立派だよ、立派になったよ、って。

やばい、じーんときちゃう。なんであたしがこんな感動しちゃってるんだろ。

『なんだかこのまま、お店を辞めます、とか言ってしまいそうな感じですが、だいじょうぶです。私はこのままちゃんと働き続けますから。いいですよね？　可憐さん』

可憐さんは笑いながら「当たり前でしょ」と指でマルを作った。

『よかった。……あの、私はこのお店が好きです。学校が楽しくなかった時期に、家庭に居づらかった時期に、私を救ってくれたのが、このお店です。私だけじゃなくて、このお店に救われた人はたくさんいると思います。みんなの愛するお店を、これからも私は愛していきます。ちゃんと、守り続けていきますから』

絢の『守る』は口癖だ。それってきっと絢がいろんな人の想《おも》いに支えられて、そのことをいつも感謝してるから、口に出しちゃう言葉なんだと思う。

自分を支えてくれた想いを大切にしたいって、絢はいちいち誓ってるんだ。だから、守るって言うんだ。

い、いい子……！　世界で一番のいい子……。

『あんまり長くなるとあれですが、最後にひとつだけ、ご報告させてください。このお店で派手に口論をしたので知っている方も多いとは思いますが、もしかしたら知らない人もいるかもしれないので……あの、えと』

不意に絢と目が合った。あたしは察する。ああ、そのことか、って。

こちらの顔色を窺《うかが》う絢に、笑みを浮かべながら小さく肩をすくめた。

もう、しょうがないなあ。

あたしは学校でカミングアウトするのはいやだって言った。学校はあたしの大事な居場所で、あたしはそこを自分の思い通りに楽しく過ごせるように、毎日がんばってる。

けど、あたしはあたしで、絢は絢。

このお店は、大切な絢の居場所だ。

言わない勇気があって、伝えない誠実さがあるのなら、言う勇気も、伝える誠実さもぜったいにあるはずだから。

いいよ、って口を動かして、あたしも可憐さんみたいに指でマルを作った。恥ずかしい。けど、微笑《ほほえ》みながら。あたしを許してくれた絢に、あたしも笑ってさ。

つぼみのような口を開いて、絢は語る。

『私に、恋人ができました。明るくて、かわいくて、優しくて……いいところをあげるとキリがないくらいに、ほんとに、私にはもったいないぐらいの恋人です。あの子と結ばれたのも、このお店があったおかげです。可憐さん、それに皆さん、もう一度、ありがとうございますって言わせてください。私は今――』

絢の笑顔がパッと咲く。

『とっても、幸せです』

たくさんの拍手が絢を包み込んだ。

スタッフの人がワゴンで大きなケーキを運んでくる。ブッシュドノエルじゃなくて、たっぷりのフルーツが盛りつけられたハート型のすっごくかわいいケーキだ。

そこであたしが手招きされた。えっ、なんですか？　周囲に背中を押されて、なんと絢の元へと送り出される。マイク？　いやいや、いらないですって！

隣を見る。絢が楽しそうに笑ってる。長いナイフを持った絢が耳打ちをしてきた。

「いっしょに、鞠佳」

「う、うん……」

こんなにきれいなドレスを着た絢の隣に立つと、緊張するってば。

一本のナイフにふたりで手を添えて、ケーキを半分に切った。そこでもう一度、大きな喝采《かっさい》があがった。

可憐さんが指を鳴らして音楽をかける。当然、絢の誕生日なんだからハッピーバースデーが流れるはずなのに、聞こえてきたのは、パパパパーン、パパパパーン、という……これ結婚式の曲じゃんかよ！

「なんでー⁉」

「可憐さんのアドリブだね」

「きょうは絢の日でしょ⁉」

「私の日ってことは、鞠佳の日ってことだもの」

言うやいなや、絢はあたしの頬を撫でた。

そのまま顔を自分のほうへと向けさせてくる。

正面に、キラキラとしたライトに照らされた世界一きれいな恋人。その目が、しっかりとあたしを見つめてる。って。

「えっ、ちょ、ちょっと待って。まさか、絢」

「愛してる、鞠佳」

「あ、あたしも愛してる、けどっ」

そのまま、口づけをされた。

カミングアウトの許可は出したけど、ここまでしていいなんて言ってないよー！

拍手されたり、口笛で囃《はや》し立てられたり、知沙希や悠愛、アスタが騒ぐ声まで聞こえてくる。もしかしたら冴は店内の隅っこで死んでるかもしれない。いや冴はどうでもいいんだけど！ 恥ずかしくてあたしが死にそうだ！

ただそんな無理矢理、空気に流されておきながら。

あたしはシャクにも心から思ってしまった。

幸せだなあ、ってさ！

ひとしきり盛り上がって、絢ファンクラブメンバーみたいなお姉さん方に、絢をお願いしますとか言われたり。

あとは、絢がたくさんの誕生日プレゼントを受け取って、ひとりひとり丁寧にお礼を言うのを見ていたり。冴が死ぬどころか大勢とＬＩＮＥ交換をして「パーティーすっごく楽しいです！」って今世紀最高の笑顔を浮かべてたり。

そんな素敵なパーティーも、そろそろ終わりに近づいてきた頃に。

「やだなあ、遅れちゃったー。あのー、今からでも大丈夫ですかー？」

って、まるで当たり前みたいな態度で、西田玲奈《にしだれいな》がやってきた。

なんで？

「は？　西田？　なんでここに？」

「だって、不破が勤めてるバーでしょー？　そんなの、学校で誰も知らないわけないじゃんー？　何人かに聞いたら、教えてくれたよ」

　カウンターにいたあたしがぽかんとして問うと、西田は含み笑いをこぼした。七センチのヒールを履いた西田はまるで完全モード。いつもより高い視点で、あたしを見下ろしてる。

　警戒するあたしの横を通り過ぎ、西田はバーカウンターへ。ノンアルコールドリンクを頼むと、そのグラスを持ってこちらへやってきた。

「へー、いい店じゃん？　落ち着くし、居心地《いごこち》いーし。でも不破っぽくないねー」

「そんなことないよ。あんたが絢の中身を知らないだけでしょ。てか、西田こそ誰か他の人のパーティーに混ざってくるとか言ってなかった？」

「はは、ないない。だってめんどいし」

　西田は笑いながら否定する。あたしは眉《まゆ》をひそめた。なんか西田のまとう雰囲気が、学校のものとは違ってる。よく言えば肩の力が抜けてて、悪く言えばテキトーだ。

「西田……？」

「んー？」

「なんかあった？」

「いーや？」

まるで探るような会話をしてると、西田の登場に目を尖らせた友達、知沙希がやってきた。

げげ、やば、やばば……。

「は？　なにしにきたの」

「え、単純に、楽しそーだから遊びに、だけど？」

「ストーカーみたいでキモいんだけど。帰ってくんない？」

うわあ、うわあ……。ちょ、ちょっと。まずいでしょこれ。

ミニスカ可憐さんを連れてこないと。あっ、いない。まさか誰かお持ち帰りしてんじゃないでしょうね!?　でもここには警察の目がない……。絢のアイキドーパワーを解き放つときがきたのか……？　いや、違う、絢もいない。そうか、お着替え中だ。

「ね、ね、知沙希、悠愛は？　悠愛はどうしたの？」

「あいつなら、格好いいバーテンダーに絡《から》んでるよ。ったく……どいつもこいつも」

だから、知沙希苛立《いらだ》ってるの!?　あんたたちなんなの！　浮気ダメだってば！
って、なんかいろいろとパニクってると。

あろうことか、知沙希をなだめすかしたのは当人の西田だった。

「ちー、さ。楽しいパーティーの最中なんでしょ？　そーゆーの、やめない？　玲奈さんだって人のテリトリーで威張るほどバカじゃないよー？」

ちーと呼ばれた知沙希が、ハッと息を呑《の》んだ。

「……は、なにそれ。ちーとか、昔みたいに呼んで……。なんで何事もなかったみたいな顔してんの」

「だって、ここガッコーじゃないし。空気に従わなくていいし？」

西田は笑いながら言った。

あたしは知沙希を見やる。知沙希はまるで毒気を抜かれたようにぽかーんとしてた。いや、あたしもだけど……。なに、どゆこと？

「ごめんねー、鞠佳。合コンとかに誘っちゃってさ。だって、他の誰が暇《ひま》だったとしても、鞠佳がクリスマスに予定がないわけないもんね」

……は？　なにそれ。

「え、なに、断られると思って誘ったの？　いや、ていうか、断ってほしかったの？」

「ま、ね」

あたしは目を細めた。なんか、西田って……。

「普段、めちゃくちゃ猫かぶってる？」

「そーゆーわけじゃないよ。いろいろあんのよ。玲奈さんさ、別に男とかほんっとにどーでもいいの。頼まれたから付き合って、キャリアアップになるかなって思ったけど、特になんもなくて。だからしばらくいーかなって思ってたけど、約束は約束じゃん？」

「う、うん」

「前から合コン開いてよーって頼まれてたし。カレシがいたほうが地位が高くなるし。けど、ほんっとかったるいなー！　って」

　西田はにやけた笑みを浮かべながら、グラスの縁を指でなぞる。

「だからクリスマスイブに鞠佳。百パームリでしょ、これ。おかげでめんどくさいことに巻き込まれず、助かりました。あんがとね」

「なんで」

「ん？　鞠佳に話したのは、ま、なんでかな。そーだな、こないだ恥ずかしーこと聞かせてくれたから、その、お礼かな？　あと玲奈さん、鞠佳のこと好きだし？」

　違う。そうじゃなくて。

「……あの子たち、友達じゃないの？　なんでそんなウソついて、最初から守る気のない約束とかして……ズルくない？」

　あたしは真剣に聞いたつもりだったのに、また西田は茶化《ちゃか》すみたいに笑った。

「鞠佳、ほんっといい子だね。そんなんで、よく人気者やってるよね」

　まるで生ぬるい空気に話しかけてるみたいに、手応えのない女だった。

なんなんだろう。今まであたしが見てた西田と、目の前にいる西田は別人みたいだ。

「こいつはこういうやつなんだよ、マリ。本当のことなんて一個もないんだ」

知沙希が苦々《にがにが》しくうめく。

「高一のとき、わたしとレーナはすごく仲のいい友達だった。少なくともわたしはそう思ってた。ウマが合って、一緒にいて気が楽だって。けど、レーナが裏切ったんだ」

「裏切ったとか、ちーは大げさだなー」

「あんたが！　友達なんて、その場で楽しむだけのスナック菓子《がし》みたいなもんだって！　モデルの仕事があるし、めんどくさいから学校以外じゃ話しかけないでよねって！　そう言ったんだろ！　わたしはあんたのこと、友達だと思ってたのに！」

ジャズミュージックのボリュームがあがってるバーの中で、知沙希の声はあたしたちの周囲だけでかき消されてゆく。

知沙希は誰よりも友達想いだ。あたしは絢との関係を黙ってたとき、そんな知沙希の言葉に救われた。けどそれって、西田とのことがあったからだったんだ。

知沙希はきちんと想いを返してくれる。けどそれを西田は踏みにじったんだ。

「玲奈さんがちーに悪いなって思ってるのは、言い方マズったことだよ。もっとうまくやればよかったって思ってる。だから今回鞠佳を使って、ちゃんとウソつくことにしたんだよ。これって成長してるでしょ？」

ふぅ、とため息をつく西田の雰囲気がまた変わった。いつまでも言うことを聞かない子どもに呆《あき》れてる、お母さんみたいだ。

「アツすぎだよ、ちーは。まだわかんないの？　学生同士の友達カンケーとか、恋愛カンケーとか、そーゆーのぜんぶ、その場で楽しければよくない？　ねえ、鞠佳」

知沙希は歯噛みした。西田の言葉が、あたしに刺さる。

「ガッコーってさ、狭いよね。特にクラスなんて、もっとそう。たまたま押し込められた三十人が、一生モノの友達になったり、ましてや恋人になるなんて、そんなことあるわけないじゃん。どーせ、分かり合えっこないんだからさー」

まるで猛禽類《もうきんるい》みたいな目で、西田があたしを見た。

「わかるでしょ？　鞠佳なら。だから玲奈さん、鞠佳が好きなんだよ」

「そんなこと」

「あるでしょ」

ニヤッと西田が笑う。それは人を見透かした笑みだった。

「玲奈さん、モデルの仕事してるんだ。そこでは本気。まだ専モになれないけど、きっとこの道で生きてく。けっこーね、マジメなとこあるの」

「……それは、すごいと思うけど」

「でしょ？　だから、ガッコーとかほんっとどーでもよくて。なおさら、男絡みとか付き合いきれないけど、これもしがらみってやつでしょ。ちーのこともね、こっちは別になんとも思ってないってか。キラわれたから話してないけど、いつでもウェルカムだから」

西田を見やる。ようやくわかった。こいつは。

口を開く。

「あんた、あたしのこと傲慢《ごうまん》って言ったよね。でもそれって、西田自身のことでしょ。人のこと手のひらで転がして、なんとも思ってない。その場の空気をうまく乗りこなすだけで、人の気持ちとかどうでもいいんだ」

「そーかも。だって玲奈さん、そーゆーことできちゃう人だし」

いともたやすく。西田はうなずいた。

「だから、嬉しかったんだよ。あたしと同じことを考えてるやつがいるって思ってさ。嬉しかったの。ね、鞠佳。玲奈さんのことさ、玲奈って呼んでよ」

「やだよ。あんたは西田でじゅうぶん」

「なんでさー。つれないなあ」

「あたしはあんたとは違うから」

睨《にら》まずに、じっと西田を見据《みす》える。

そうだ、あたしは空気に従うけど、学校をどうでもいい場所だなんて思ったことはない。知沙希や悠愛も、大切な友達だ。たとえ西田の言うとおり、違う社会を見たとしても、学校がどうでもいいところになるはずなんてない。

　もちろん、他に居場所をもってる絢とも違う。だって絢は、西田みたいに要領よくないし、不器用で友達付き合いもうまくなく。それでも壁にぶち当たっても諦《あきら》めないで、自分にできる限りのことをいつだってがんばっててさ。

　それでさっきみたいに、すっごくたくさんの人に祝ってもらって、愛されて……西田なんかと、ぜんぜん違う。

　ああ、そっか。

　あたしなんかわかっちゃった。西田のこと。

「西田さ」

「なーに？」

　あたしは深呼吸して、口を開く。

「今まで、あたし西田のこと、誤解してたっぽい」

「そお？」

　って、興味ありげな西田に、あたしは告げた。

「――あたしね、西田のこともっとかっこいいやつだと思ってた」

　一瞬、西田は黙り込んで。

「え？」

　その言葉は、効いたみたいだった。

「西田さ、モデルには本気って言ったよね。それ、いい加減な気持ちでモデルやってるやつが『モデルなんてたかがこんなもんでしょ』とか言ってたら、そいつのことバカだって思わない？　本気になってみないと、見えない景色ってあると思うんだよね」

「……なにが言ーたいわけ？」

「やぱりあたしと西田ってぜんぜん違うなって思ってさ」

　あたしは西田の胸の中心を指差す。矢継ぎ早に責め立てる。絢がいっつもあたしをベッドの上でそうしてる様を真似《まね》て、さもこれが真実だと言い張るみたいに。

「だって西田、最初っから学校での楽しみを、捨ててるわけでしょ？」

「はあ？」

「モデルに忙しいから学校にあんま力を割けないとかはわかるよ。それはしょうがないもん。でも、こんなもんって見切りつけて、楽しいとこ知らないまま人間関係も中途半端《ちゅうとはんぱ》に捨てて、しかも上から目線であたしに語るってさ、ぶっちゃけ——ダサくない？」

　西田の笑みが引きつる。

「ゆーじゃん、鞠佳」

「『分かり合えっこない』ってさ、それ誰が決めたわけ？　試してみたの？　クラス全員と？　うわべだけの付き合いでわかるわけないじゃん。あたし知沙希のよさを知ったの、ここ最近だからね。一年友達だったのに、わかんないこといっぱいあったよ」

ね、と知沙希に笑いかける。知沙希は「……ま、そうかも？」と片眉をあげた。

西田は不機嫌そうにため息をつく。それはなんか、だいぶマジっぽい感じで。

「あんさぁ、捨てるとかじゃなくて、玲奈さんはいらないんだってば。そーゆーめんどくさいとこは。ラクで楽しーことだけでいいの。鞠佳ならわかんでしょ？」

「わかんないってば。だってあたし、めんどくさいやつ、けっこー好きだし。絢だってめんどくさいし、知沙希だって悠愛だって、もちろんあたしだってめんどくさいとこあるよ。けど、それが人間、楽しいとこじゃん。ま、小娘の意見だけどね」

睨まれる。

「鞠佳だって楽しーとこだけでいーって、言ってたよね。あれ虚偽だったの？」

「言ったけど、西田のと一緒にされたくないな。あたしの『楽しい』は人を自分の都合に合わせるために、ウソついたりしないし。自分を人のペースに合わせてお互いが楽しくなるためのものだから」

両手を胸の前で振りながら笑う。

「西田がそこをいらなくて閉じこもってるのは、別にどうでもいいよ。西田の人生だし。押しつける気はないけど、でも学校本気で楽しんでたり、本気で楽しもうってがんばってる子の前でつまんないとか言われるとさー、冷めるよね」

西田がバンとカウンターを叩《たた》いた。その音で周囲がこちらを向く。西田はハッとして、頭を振る。だいぶイラついてるなあこれ。ここらへんにしておいたらよくない？

でも西田は引き下がらず、突っかかってきた。

「じゃあ鞠佳は、高校で一生の友達ができるってゆーの？」

「できるなんて言ってないじゃん。でもわかんないでしょ？　もしかしたらできるかもしれないのにさ、最初からできないって諦めて一歩を踏み出さないやつに、一生モノの友達ができるなんてこと、それこそ絶対に『ありえない』からさ」

西田はそこでちらりと知沙希を見た。

「……玲奈さんと、ちーは、一生の友達になれなかったし！」

「それは、まあ、しょうがなくない？　次いきなよ、次。西田言ってたじゃん。クラスには三十人もいるって。あと二十九人いけるよ」

「バカじゃない？　本気で言ってんの？」

西田はあたしに詰め寄ってきた。でかいから見上げる形になる。圧あるなあ。

「だいたい、鞠佳おかしいでしょ。なに女同士とかで付き合ってんの？　意味わかんないんだけど。クラスメイトで手近に済ませよーとか、そーゆーのつまんない」

「は、はあ？」

なんで女同士に飛び火してくるの？　そこ大事？

　わかんないけど、西田は本気でムカついてるみたいだった。

「それ、行き当たりばったりで、今だけ楽しむやつの考え方じゃん！　結婚もできないし、子どもも作れないのに女同士とか、本気でしょーらい考えてたら、そんなの付き合うわけないし！　鞠佳、口ばっかりじゃん！」

　こいつ、ビアンバーでなんてことを言うんだ、って一瞬だけ思ったけど。

　そんな気遣いなんて消し飛んじゃうぐらいの熱量で、あたしは叫んでた。

「そんなことない！」

　びくっと西田が動きを止める。

「将来とか考えてないし、この先のこととかわかんないけど、あたしは絢が好きだよ！　しょせん、女同士なんて学生の間だけ？　そんなことない！　もしそうだったとしても……西田の言ったとおり、あたしと絢が別れることになって、それってすっごくつらいし、めちゃくちゃヤだけど……だけど、あたしが絢を本気で好きになって、本気で恋した事実は、ウソになんてなんないから！」

　奥歯を噛んだまま、西田を睨む。

　そうだよ、きっとあたしはこういうことを言われたくないから、だからカミングアウトできないんだ。

　いつの間にか、目からポロポロと涙がこぼれてた。

絢と別れるかもしれないなんて考えただけで、こんな風になっちゃうなんて、我ながらすごく恥ずかしいし、情けない。もっと強くならなきゃって思う。

西田はさすがに言い過ぎたと思ったのか、しばらく気まずそうに視線を落としていたけれど。

でも、いつまでも怯《ひる》んではいなかった。

「……謝らないからね。謝るぐらいだったら、最初から言わないから」

「いいよそれで。ムカつくけど」

「鞠佳、ホントはもっとうまくできるくせに、意地張ってわざと不器用になって、意味わっかんない。なんでそんなことしてんの。鞠佳のことだけは、同類だって、こいつだけはわかってんなって、そう思って、一目置いてたのに……なんでなの、バカじゃん」

「あたしも西田のこと、ダサいって思ってるから」

なにが、西田は利用価値があると思ってる人間とは全面戦争はしない、だ。西田のこと、表面だけ見てわかった気になってた。類友だって思って、シンパシー感じてた。

けど、あたしは泣いて、西田だって涙目になってて。こんなの、どこからどう見ても決定的な亀裂だ。あたし、冴のときは自分に見る目があるって思ってたのにな。

でも。

頭の中のぐちゃぐちゃになった感情を拭き取るみたいに、あたしは涙をハンカチで拭いて、目元から力を抜いた。

主義主張を言い合って、正面からぶつかりあって、めちゃくちゃしんどくて。

どう考えてもこんなの割に合わなくて、ただ学校生活を送るだけならぜったいに必要ないものだけど。

あたしのすぐそばには、いつも本当の言葉で話してくれる子がいて、その子は傷ついて、ぶつかっても、それでも前に向かって一歩一歩歩いていく強さが大事なんだって、教えてくれたから。

だから、あたしも。

「ようやく、本気で話してくれた気がしたから、別に、いいよ」

西田は、あっけにとられたように、あたしを見た。

許したわけじゃないし、やっぱりムカつくけど、でも、西田もがんばってちゃんと伝えてくれた。あたしたちがぜんぜん違うってことを、ちゃんと教えてくれた。それだけは、認めてあげたいから。

これはその、お礼。

「ありがと、玲奈」

その顔が、めちゃくちゃ嫌そうに歪《ゆが》んでいった。

「本気って……ただ意味わかんないことを、意味わかんないって叫んだだけなんだけど……これが、鞠佳の言う本気？」

「あたしはそう感じたよ」

「……こんなのが、本気だったら」

玲奈は自分の頬に手を当てた。

その目の端に浮かんでた涙を指で拭《ぬぐ》って、ぐったりと肩を落とす。

「めちゃくちゃ……しんどいんですけど……」

ああ、うん。

「……だよね」

そのとき、なんか初めて、玲奈と分かり合えた気がした。

不思議な空気の中、見つめ合うあたしたち。そこに可憐さんと着替えた絢が帰ってきた。

可憐さんはなにも聞かずに一瞬で状況を理解したっぽくて、いぶかしむ常連さんに「はいはい、それじゃあ撤収準備しましょうかー」と音頭を取ってた。人の心を読む怪物かなにか？

一方、そんな能力とは無縁の絢はあたしたちを交互に眺めて、首を傾《かし》げた。

「……なんか、険悪？　投げる？」

あたしと玲奈は見つめ合う。どーすんのこれ、あんた人生で一番のピンチだよ、ってあたしが目で問うと、玲奈は吹き出した。あたしもつられて、笑っちゃう。

「いいよ別に、絢。そんなことしなくても、もう終わったから」

なんとなく、玲奈があたしたちの秘密をペラペラ喋《しゃべ》ることは、もうないんだろうって、あたしは確信してた。だって学校がうわべだけの楽しさをすくう場所だったら、そんなしんどくなるようなこと、玲奈がするはずないもんね。

玲奈もおっきくため息をついて、それからノンアルコールのカクテルを飲み干した。絢にグラスを突き出す。

「おいしかったよ、やるじゃん、この店。センスいーね、不破」

「……そう？」

絢はあたしと玲奈を交互に見比べて、それから、ちょっぴりはにかんだ。

「それは、うれしいかな。ありがと、西田さん。私、西田さんのこと誤解してたかな。わざわざお店にもきてくれるなんて、ほんとはいい人だったんだね」

あたしと玲奈は、今度は同時に吹き出した。

やばいな、絢。ほんっとに人を見る目ない。玲奈がいいやつなわけないじゃん。あたしたちはおかしくて「あはは」と笑った。

「こういうとこが好きなの。わかる？　玲奈」

「わかるよ、鞠佳。玲奈さんにはぜんっぜんわかんないってことがね」

あたしたちの間で、絢はきょとんと首を傾げてたのだった。

　あのあと知沙希《ちさき》には「鞠佳《まりか》はやっぱすげーわ」とか言われたけど、なにがだろうか。さっぱりわからない。ただめちゃくちゃ玲奈《れいな》と口論しただけなのに……。よくわかんないけど、彼女のいる前で中学生にときめくあんたもすごいと思うよ。褒《ほ》めてないけど！

　さらに冬休みが進んでいくと、岸波《きしなみ》と戸松《とまつ》からも突然メッセージが届いたりした。

『榊原《さかきばら》、ほんとにありがと！　玲奈が今度また改めて合コン開いてくれるんだって！　絶対に言うなって口止めされたけど、榊原のおかげって言ってた！　だから、ありがとね！』って。

　うん、残り二十七人かな、玲奈……。がんばれ。

　しかし、どういう心境の変化か知らないけど、玲奈が友達のために自分からほんの少しだけ歩み寄ろうとしたことはなんか……玲奈のことはムカつくけど、ちょっとだけ嬉《うれ》しかった。

　ちなみに後日開かれたその四対四の合コンでは、男四人が全員玲奈狙《ねら》いとなり、岸波と戸松には見事カレシができなかったらしい。

その上で玲奈は『やっぱ、これはいらないかな』って全員をばっさりと切り捨てたとか……。

これだから、顔のいい女は！

＊＊＊

絢《あや》が泊まる最後の日。十二月二十五日。クリスマスで、絢のお誕生日。

その胸元《むなもと》には、あたしのプレゼントしたハートのネックレスが光ってて、同じものがあたしにもついてる。ペアのやつだ。

誕プレを買いたかったんだけど、絢はふたりで買おうって言い出した。

あたしが一万円以上の買い物に制限をつけたから、その逆も、とかなんとか言ってきて。

いいけどね。お金を出し合ってふたりで買ったクリスマスと誕生日のプレゼント。一方的にあげたりあげられるより、こっちのほうがあたしたちらしいなって思ったし。

だから。

「……えっと」

「だめ？」

ふたりでアクセサリー見て、気取らないディナーして、おうちに帰ってきて。

あたしの部屋。ベッドの上に正座して、あたしたちは向かい合う。どちらも部屋着。まるで初めての夜みたいに、緊張してた。

絢は力なく首を横に振る。

「だめじゃ……ない、けど」

「けど？」

絢はうつむく。その顔が耳まで真《ま》っ赤《か》だった。

「ほんとに、したいの？」

「うん、したい」

あたしは体を前のめりにして、言った。

「だって、絢の十七歳の誕生日だもん！」

この日、あたしは宣言した。

「最後の夜は、あたしが絢を責めたいの！」って。


絢は落ち着かない様子で、ベッドに仰向《あおむ》けになってる。

あたしはその上に、馬乗りになる。いつもとは違う体勢。お互いめちゃくちゃ違和感あって、利《き》き手じゃないほうでラケットを握ってるみたい。

別にアスタの占いに逆らうためにとかじゃなくて、純粋に、興味があったのだ。

だって普段、ふとした隙《すき》を見せたときの絢ってめちゃくちゃかわいいし。だったら責められてる絢だってすごくかわいいはずだ、って。

　でもそんなの答え合わせする必要もなくわかってる。かわいいに決まってるもん。

　ねえ絢、とあたしは手を伸ばしながら口を開く。

「あのさ、女同士ってさ」

　さわ、と服の上から絢の胸に触る。

「う、うん」

「だいたい、どっちが責めるかとか、決まってるものなの？」

「カップルによる、としか言えないかな。タチネコってようするに、自分はどっちがいいかっていう好みだから。したいほうがして、されたいほうがされる」

　そうなんだ、って納得しつつも絢のアウターを脱がせる。上下とも下着姿にした。長い脚が恥《は》ずかしそうにもじもじと揺れてる。

「絢、かわいい」

「……はずかしい」

「絢はするだけで、されたくないの？」

「だって、はずかしいし」

「恥ずかしいのが理由だったら、あたしだっていつも恥ずかしいってば」

笑いながら、左手を絢の胸に当てて、右手でふとももをなぞる。うっ、これけっこう体勢がつらい。責めるってもしかして、けっこう筋力がいるのでは……。絢ってこんなの丸一日とかしてるんだ。鍛え方が根本から違う……。

「やっぱり、かわろうか？」

「だめです。きょうは責めたいんだもん」

そのまま体を倒して、絢の体をまさぐりながらのキス。確かにこれは大変だ。けど、なんだって最初は大変なもんだしね。がんばる。

「痛かったり、もっとこうしてほしいってことがあったら、ちゃんと言ってね、絢」

「うん……。でも、そんなよゆう、なくなりそう」

絢の顔がさらに赤い。普段は肌が白いから、余計に目立つ。

シーツに広がった明るい髪は月光を浴びて照り返す川みたいで、ああ、なんかこういう絵画みたことあるかも、なんて思った。

「ん……」と身じろぎする絢の様子を見つつ、そろそろ直に触れたほうがいいのかな。ほら、ってブラを外すと、絢は恥ずかしそうに胸を隠してた。

「絢、腕どけて、ほら」

「はずかしい」

「さっきからそればっかり」

絢の腕をどける。きれいな胸を、優しく撫《な》でる。絢はなにかに必死に堪《こら》えてるみたいな顔だ。

これが普段、絢が見てる景色なんだ。

うわ、うわ、これ、なんかすごい昂《たか》ぶる……。

「……鞠佳の手、へんな感じする」

「きもちいい？」

先端を指でぴんと弾く。んっ、と絢が喉《のど》を鳴らした。

「……うん、きもちいい」

「へへ、やった。こう見えても、経験値はすっごくあるから。ダテに半年間、責められ続けてきたわけじゃない、って感じ？」

どんな風に責められたいか。どこをどうされたら気持ちいいか。次になにをしてほしいか。そういうの全部、絢にされて、ちゃんと覚えてるし。

覆《おお》いかぶさって、胸に唇で触れる。舌を出して、突起の周りを先端でなぞる。どんどん硬くなってきたそれを、舌の腹でなめたり、つついたり、吸ったり。

「……鞠佳って、おっぱい、すきだよね」

「うん、なんか、好き。あ、もちろん絢のだからだよ。いじってると安心するっていうか。ええと、痛い？」

「ううん、だいじょうぶ。鞠佳の手、あたたかいよ」

絢はおっぱいに夢中になってるあたしの頭を抱きかかえて、よしよしと撫でてくれた。胸の奥がきゅんきゅんして、あたしもいろいろしてほしくなっちゃう。

やっぱあたしって責められたい側なんだなって改めて痛感するけど、それはそれ。きょうはあたしがしたいの。

「ね、絢。あたしも脱ぐね」

「うん」

暑くなってきちゃった。絢とお揃《そろ》いで上を脱いで、ショーツだけ。こうして肌を密着させると、絢の心臓の音が聞こえてきそうで、心地いい。

「えへへ、絢かわいい、すごくかわいい……」

「う、ん……」

あたしの下で、絢が腰をもぞもぞとする振動が伝わってくる。これはもしかして絢。

「ね、絢。下も触ってほしい？」

顔を覗《のぞ》き込みながら言うと、絢がわずかに目を見開いた。そんなこと言われるなんて、思ってても見なかったって顔だ。

「……鞠佳の好きなようにしてくれたら、いい、よ」

「うん、でもあたしは絢のされたいようにしてあげたいから」

にやりと笑う。おっぱいを手のひらで包みながら、絢にキスをして、そのまま顔を耳元へ。形のいい耳たぶをれろりと舐《な》めあげる。

ちゃんと言って。ちゃんと言いなさい？　って。

「絢、触ってほしい？　触ってほしいんでしょ？」

「……っ」

絢はあたしを見上げながら、唇に指を当てて。

そうして、こくり、と小動物みたいに小さくうなずいた。

絢、かわいすぎでしょ、なにこれ……。

頭がどんどん冷静じゃいられなくなってくる。

ほんとはもっともっと焦《じ》らしてあげたかったんだけど、ムリみたいだ。責めるほうの精神力が圧倒的に足りてない。早くしてあげたいって気持ちがはやっちゃう。

「わかった。絢に整えてもらって、きれいにしてもらったこの指で、してあげるね」

すすっと絢の頬《ほお》を人差し指で撫でてから、あたしはにっこりとした。

当たり前だけど、他の人のデリケートな部分に触れるなんて初めてだから緊張する。ましてや絢だ。傷つけでもしたらたぶん、めちゃくちゃ凹《へこ》む。慎重に、慎重に……。

下着の中に入れた指が、液体に触れる。よく大洪水だとか言うけど、まさにそんな感じ。これ、ぜったいに下着ににじんでるでしょ。

「うっわ……絢、すごいことになってるんだけど」

「…………う」

あたしが思わず素直な感想をこぼすと、絢が顔を両手で覆った。

なにかまずかったかなって思ったけど、いいや。だってあたしもこういうとき、絢にめちゃくちゃ言われてるし。

「やばぁ……。なにこれ、絢もこんな風になるんだ……。まだ胸いじって、キスしただけなのに……やっぱり絢って、ヘンタイだよね」

人差し指じゃなくて、確か中指。それをゆるゆると動かす。どういう感じが気持ちいいのかわかるのは、やっぱり女同士の特権だよね。

絢はこらえきれないみたいに、ふるふると首を横に振る。

「だって……鞠佳に、されてるんだもん……」

「かわいすぎ……」

「え？」

「いや、ううん、なんでもない。本音が。えーと、そう。だって今夜の絢は、あたしのお姫様だからね。いっぱい甘えさせられるように、がんばるからね」

今度はさっきよりもう少しだけ強く、こすりあげる。押し殺した絢の嬌声《きょうせい》が漏《も》れた。白い喉がきゅっと引き締まる。ああ、きもちいいんだなあ、って胸が熱くなる。

まだ絢みたいにできないから、しばらくしてると指というより、手首がだるくなってきちゃうし、体もムリな体勢だからあちこちきつい。

あたしはいつも絢に好き放題されてたからわかんなかったけど、責めるのも大変だ。

けどやっぱりそれ以上に、絢があたしの指遣いでびくびくしてたり、恥ずかしいから声が漏れないようにがまんしてたりするのを見ると、愛しさがあふれてくる。

ああ、責めるのもいいかも……。

下を脱がそうとすると、絢は「シーツが、よごれちゃう」と渋ったけど、あたしが「いいの」と引っ張ったらすぐに腰を浮かせてくれた。

そうそう、ベッドで下になってる子は上になってる子に、逆らえないんだよ。それはあたしが一番よく知ってるから。

「ほうら絢、足も開きましょうね」

「うん……」

絢を促《うなが》す。十センチ程度、控えめに開かれた足を手で無理矢理に開く。絢を責めるんだーって決めたときから、やりたかったことがある。それは。

「えっ……えっ、えっ、ちょっ、ま、鞠佳っ？」

あたしは絢の下のほうに、顔を近づけた。両手でふとももをぎゅっと抱えて、さらに奥へ。

その場所に、ちゅ、と音を立ててキスをする。

「だ、だめだって、ば……そ、それは……鞠佳、鞠佳ぁ……」

やってるあたしだって、ものすごく恥ずかしい。けど、それ以上に絢が慌てふためいてるので、なんか保ててる感じ。

「絢のここ、甘いねえ」

　ふふふっと照れて笑う。頭の上のほうから、「だめ、だめ」と声が降ってくるけど、気にせず舌を動かした。さすがにこれは自分でやったことないから、適当に調べたんだ。検索履歴を見られたら死んじゃうやつ。

「すっごく絢の匂《にお》いするね……。あたし、この匂い好きかも」

「う、あぁ……ま、鞠佳、鞠佳……はずかしい、はずかしいよ……」

　匂いに敏感なあたしは、頭がクラクラしちゃいそうになる。絢でいっぱいだ。

「ふふー、大好きだよー、絢ー」

「わ、わたしも……っ……す、すき……すきだよ、だいすき……」

　あーもー、絢の切なそうな声、色っぽすぎ。脳がピリピリしびれちゃう。これあたしのほうこそ、下の方やばいことになってそう。

　キスをして、舌を突き入れる。そのたびに絢がびくんと跳ねる。震える腰を押さえつけて、さらに舌を奥へと。舐め取り、ツンと舌でつつく。

「ああぁっ……っ……あっ、あっ……っ」

　あの絢が、あたしの口づけで、こんなにも感じてる。その事実だけで、イッちゃいそう。ああ、やばいやばい……。ほんと責めやばい。

いじればいじるほど、舌を動かせば動かすほど、絢が好きになってく。かわいすぎて、あたしだけのものにしたくなる。独占欲がわいてくる。絢にこんな顔をさせられるのはあたしだけなんだって強く思う。ああ、絢もこういう気持ちなのかなあ。

「鞠佳、鞠佳ぁ……私、もう、もうだめ……こんなの……」

「うん、いいよ、いつでもいいからね、絢」

あたしはさらに強く舌を押しつける。初めてする未熟なテクかもしんないけど、愛だけはあるから、絢のこと好き好き、って気持ちを伝えるみたいに……。

……してたところで。

あたしの視界がバンッとひっくり返った。

「は？」

「もうだめだってば、鞠佳……。こんなの私、おかしくなっちゃうから……鞠佳のこと、めちゃくちゃにしてやりたくて」

「え、ちょ、あの」

あたしは絢に覆いかぶされていた。

肩で息をする絢が、いつも以上に燃え盛った瞳《ひとみ》であたしを見下ろしてる。またこのパターンか！　合気道をベッドの上で十二分に役立ててやがる、この女。

いや、ていうか、待って。

「きょうはあたしがする番って」

「でも鞠佳、『いつでもいいよ』って言ってくれた」

「それは、そういう意味じゃ！　あの、ちょっと！」

首筋を噛《か》まれた。まるで上下関係を思い出させられるみたいに、それだけであたしの言葉は封殺される。や、やばい、抵抗できない……。こんなはずじゃ……。

「あ、絢ぁ……」

あたしが責めてたはずなのに、たったのこれだけでさっきまでどうやって主導権を握っていたのかもわからなくなる。あれ、さっきのってもしかして夢……？　うそ、だってちゃんと匂いを覚えてるはずなのに……。

でも、あたしを見下ろす絢の目はきれいすぎて、なんにも言えなくなっちゃって。

「それじゃあ誕生日プレゼント、おいしくいただくね。こんっなに焦らされたの、初めてだから……期待していいからね、鞠佳」

絢の舌なめずりに、あたしの体は『こうでなくっちゃ』と悦《よろこ》んでるみたいだった。あうあうあうあう……。

「ち、ちがーうー……」

やっぱり人は、すぐには変われないんだね……でもほら、変わろうとすることが大切って絢も言ってくれたから、わたしも何年後かにはきっと……うん……！

って感じで、結果あたしは、絢にしてあげたことを一億倍返しぐらいされて、身も心も溶かし尽くされたのだった……。リバへの道は、まだまだ遠いみたい……。

＊＊＊

んー、ってお母さんが伸びをする。

クリスマスの翌日、十二月二十六日。

午前中にあたしと絢は、お母さんの病室を訪れてた。ちなみにお父さんは昨日そのまま会社にとんぼ返りしたみたい。楽しく過ごせたみたいだから、よかったけどね。

「はー、やっぱり一週間も病院にいると、かなーり疲れちゃうわねえ。特に食事を制限されるのがキツいわ。別に普段からそんなにいいもの食べてるわけじゃないのに。それより、ありがとね、絢ちゃん」

「あ、いえ」

絢は一度家に戻って、荷物とかは全部持って帰ってった。

名残《なごり》惜《お》しかったけど、もともと一週間って約束だからね。

それよりも、あたしたちけっこううまくやれてたから、これから共同生活するときも楽しそうだなって思えたのが、なによりも収穫。

「楽しかったです。いや、お母さまが入院しているのに楽しかったというのも、あれですけど……その、楽しかったです」

「それならよかった。でも、うちの鞠佳が迷惑かけてなかった？　この子、甘えん坊だし、寂《さび》しがりやだし、子どもっぽいところあるでしょ？」

「こらこら。恥ずかしいからやめなさい」

お母さんの着替えの入ったバッグを担《かつ》いだあたしが、半眼で止めに入る。

絢はくすくすと上品に笑ってた。昨夜あたしのことをめちゃくちゃにした女とは思えないような清楚《せいそ》っぷりだ。

「絢ちゃん、また機会があったら遊びにおいで。今回のお礼もしたいから」

「はい、ぜひ」

さすがにお母さんがいるときに、今回みたいなただれた生活は無理だろうけど。

だってあたしたち、自分の部屋だけじゃなくて、お風呂《ふろ》でも、リビングでもイロイロしてたもんなあ……。痕跡はちゃんとぜんぶ消したから、大丈夫だけど……。

思い出しただけで、顔が赤くなる。

「じゃあ鞠佳、これ」

「あ、うん」

絢が合鍵《あいかぎ》を手のひらにのせて返してくる。それを受け取ったあたしの胸が、キュッと締まった気がした。

これはきっと絢との同棲生活が終わっちゃうっていう寂しさだ。

家庭に居づらかった時期があったって、絢は誕生会の挨拶《あいさつ》のときに言ってた。今の絢は大丈夫なのかな。居づらい家庭に、寂しく帰っていくんじゃなければいいな。

「ねえ、絢ちゃん」

病院を出たところで、お母さんが絢を呼び止めた。振り返る絢に、お母さんがいつもの何気ない冗談めいた調子で笑いかける。

「うちの鞠佳をどうもありがとうね。ほんとに、お嫁にきてくれたっていいのよ」

それがカマかけなのかなんなのかぜんぜんわからなくて、どきりとした。ただ、お母さんなら気づいててもおかしくないなってあたしは思った。まるで新宿の交差点で玲奈に呼び止められたときのように。

絢が一瞬だけ、あたしを見た。

それから、優しく微笑《ほほえ》む。

「お母さま、ありがとうございます。でも、だいじょうぶです。鞠佳は私の大切な、お友達ですから」

絢はそう言った。

大切なお友達、って。

それはきっと、あたしのことを守るためについたウソだった。

あたしといるときには、一度だってウソなんてついたことなかったくせに。

「そっか」ってお母さんは笑って、絢が頭を下げた。

絢が背を向けて歩いていく。家まではタクシーで帰ることになってた。だから、絢とはここでお別れだ。あたしはなぜか、返してもらった合鍵を握りしめたまま。

ふと、思い出す。玲奈は徹底してた。玲奈は一番好きなもののために、学校では都合よく友達とかにウソついてたし、そんなのすごくムカつく。

けど、ぜんぶうまくやることができないなら、順番をつけなきゃいけなくて、切り捨てなきゃいけないときがあって、玲奈はきっと賢かったんだ。

同じように絢も今、いちばん大切なあたしのためにウソをついた。空気を壊すよりは、もやもやを隠して笑ってその場の空気を保つことのほうが大事だって、あたしが言ったから。

絢ってばほんと、誕生日を黙ってたときと一緒だ。自分のことなんてどうでもいいって思ってる。あたしだって同じように、絢のことを一番に考えてるのに。

胸が苦しい。

「ね、お母さん」

「んー？」

あたしは一緒にタクシーを待つお母さんを見やる。

小さくなってく絢の後ろ姿と、お母さんを見比べる。

まったくもう。別に学校とかはいいけどさ。

ちゃんとお母さんに誠実であろうとした絢が、お母さんにウソをついたままになっちゃうなんて嫌だって、あたしが考えると思わなかったのかなあ、絢。

そういう不器用なところも、好きだけど。

ため息をつく。

空気なんて壊れたって構わないし。しばらくおうちが楽しくなくなっちゃったって、別にいい。いちばん大切なものを優先できるなら――。

――なんて、思うはずがない。

それは、玲奈のやり方だ。

あたしは違うよ、絢。

顔をあげる。お母さんを真《ま》っ直《す》ぐに見つめる。

どっちかなんて、選ばない。どっちだって大切だ。だったら、あたしはどっちも切り捨てない。ぜんぶやるんだ。玲奈の言ったとおり、すごく傲慢《ごうまん》な考え方かもしれない。

けどね、最初から諦《あきら》めてたら、そんなの無理なままだもん。

だから、口を開く。

「あたしと絢ね、ほんとは付き合ってるんだ」

えっ？　という声がした。お母さんはぽかんと口を開いてびっくりしてる。

「その、女同士だけど……恋人なの、絢は、あたしの」

手のひらを固く握る。

どんなにしんどくても一生懸命、伝えるために。

「ごめん、黙ってて。でも、絢がさっき『大切なお友達』って言ったでしょ。あれ、あたしのためのウソなんだ。だから、そのままにしておきたくなかったの」

お母さんは少し黙ってた。

けど急に腕組みして「うーん」とうなり出す。

「それは、びっくりねえ……」

「そう、だよね」

「女の子が好きなの？」

「ううん、そういうんじゃないの。絢が好き」

あたしたちの間を、ちょっと遅い木枯《こが》らしが吹き抜けてゆく。

天気は良好、冬日和《ふゆびより》だ。

お母さんの雰囲気は、柔らかいままで。

「うーん……結婚とか、するの？」

あたしは投げかけられる問いに、本気で向き合う。

「わかんない。けど、今はしたいなーって思ってる」

「鞠佳ならわかってるかもしれないけれど大変よ、女同士って。世間体の話もそうだけど、お金もそう。結婚できないと税金の控除とかも受けられないんだから、やっていけるだけのお金はちゃんと稼がなきゃ」

「うん、そうだよね」

こんな真剣な話の途中なのに、お母さんはあくびをした。

いや、ちょっとまって。なんでなの。こっちは気合い入れて言ったのに。手だって震えてたんだよ。どうなるかぜんぜんわかんなくて、怖かったんだからね。

「お父さんには、まだ話してないのよね」

「うん」

「ま、話さなくていいと思うけどね。誰《だれ》と付き合ってるとか、そういうのいちいち」

「そうなの？」

「だって別に悪いことしてるんじゃないだから。絢ちゃんが好きで、絢ちゃんと付き合ってるんでしょ？　年頃《としごろ》の女の子なんだから、恋のひとつやふたつもするっての」

お母さんはまるで自分に言い聞かせるみたいに、そう言った。

それから腰に手を当てて。

「そっかー、絢ちゃんとなあ。うーん、こういうとき、お母さんってなに言えばいいんだろ。娘と恋バナしたい夢は叶《かな》ったけど、意外と難しいわね……」

「なにそれ。大人なんだからそれっぽいこと言ってよ」

「まあそうね、うん。じゃあ、一言だけ」

さすがになに言われるんだろって緊張するあたしの頭を、お母さんがぽんぽんとする。その顔は、優しかった。

「なんかあったら、いつでも相談しなさいね」

「うん」

しばらく待つ。けど、お母さんはそれ以降なにも言わずに、スマホを開いた。

「え、終わり!?」

「え？　終わりだけど。一言って言ったでしょ」

「他になんかこう……なんで女の子と？　とか、女の子と付き合ってどうするの？　とか、そっち系なの？　とか、キモいじゃん、とか」

「絢ちゃんを選ぶ辺り、趣味いいと思う」

「そっかー！」

あたしは頭を抱えて叫ぶ。くっそう、けっこう……いや、めちゃくちゃ嬉しい。

「むしろなんか逆に、男の子と付き合ってないんだったら、避妊しなさいねって口酸っぱくして言わずに済むからいいね」

「知らんけど……」

「ていうか」

タクシーが来た。お母さんは地面に置いてた荷物をよいしょと持ち上げて、あたしに笑いながら告げた。

「母親が、恋人のできた娘にまず言わなきゃいけないことなんて、その程度でしょ」

そんな風ないつもとまったく代わり映えのない態度を前に、せっかく覚悟してがんばったのにそんな適当な！　っていう怒りがわくよりも、あたしは『お母さんは、さすがあたしのお母さんだなあ……』って思った。

でも別にいいっか。物分りの良すぎるお母さんに助けられたみたいな感じになっちゃったけど、言うって決めたのはあたしだからね。

踏み出したのはあたし。それは、間違いないんだから。

後日、絢に「お母さんに言ったんだよー」って告げたら、めちゃくちゃびっくりしてた。けど、次来るときは大切なお友達じゃなくて恋人としてだね、って続けたら、顔を真っ赤にしちゃってさ。それがあまりにもかわいすぎて。

この子と一生一緒にいられたら、幸せだろうなあ……って、心から思っちゃった。

［書き下ろし短編］

百日間で徹底的に落とされた女の子に、決して手を出さないと誓った女の子のお話

ARIOTO

onnadoushitoka ARIENAIDESYO to iitteruonnanoko wo hyakunichikan de TETTEITEKINI otosu yuri no ohanashi

『――娘さんは、私が守ります。おまかせください』

鞠佳《まりか》の母親に大見得切ったのが、つい先ほどの話。

かくして、不破《ふわ》絢《あや》は恋人の家に一週間、泊まり込むことになった。

表向きは平然としているつもりの絢であったが。

（ぜったいやばい）

心の中には、大嵐が吹き荒れている。

（やばい……やばい）

これは、強い意志をもっていた絢が、一週間も経《た》たず鞠佳に完全敗北してしまうまでの、戦いの物語である――。


鞠佳の家に一歩足を踏み入れたその瞬間からずっと、絢は浮足立っていた。

夢やファンタジーの生き物のようにさえ感じていた鞠佳の生活空間は、絢にとってあまりにも生々しすぎた。禁忌《きんき》の世界に飛び込んでしまったのかもしれない。

（いや、いやいや、ちがうから。私は、鞠佳を守りにきただけ）

絢は彼女の母親に誓ったのだ。

きょうから一週間、自分は鞠佳のボディーガードをするのだと。

すべては鞠佳の笑顔を守るために。『ラブラブいちゃいちゃ同棲生活♡』なんて浮かれてはならない。そんな邪念はすべて捨て去って、鞠佳の安全だけを守る存在だ。

（それが、私のやくめ。あわよくばだなんて考えたら、私を信じてくれたお母さまを裏切ることになっちゃう）

絢は燃えていた。

もとから思い込みが激しく、一度決めたことに関しては頑固《がんこ》な性分だ。

だから——。

こうして、ダイニングで一緒に夕食を食べることになってしまっても、絢の心には漣《さざなみ》ひとつ立たずに済んでいる。

（今の私は、鞠佳専属のセキュリティ・ポリス。仕事に私情は挟まない）

正面に座った鞠佳は、サンドイッチをもぐもぐしながら、ちらりとこちらを見た。大きくて丸い瞳《ひとみ》は、すっかりと安らいでいて、目尻が下がっている。

目が合った彼女は、柔らかな頰《ほお》を赤らめて笑う。

「な、なんか、こういうの……ちょっと、照れちゃうね」

（かわいすぎる――）

心臓を鷲掴《わしづか》みにされたかのように、息ができなくなった。

なぜそんなにも無防備で、隙《すき》だらけの笑顔を浮かべるのか。

正座させて、説教したくなってくる。

（私が鞠佳になにもしないとでも思ってるの？　いや、しないんだけどさ。でも、鞠佳の目の前にいるのは、鞠佳が力じゃぜったいにかなわない狼《おおかみ》かもしれないんだよ。もっと鞠佳だって警戒するべきじゃない？　スタンガン用意しておくとかさ！）

かじっているサラダチキンの味が、空虚に感じてくる。目の前には、なによりもおいしく育った子羊がいるというのに。

手を伸ばして押し倒してしまえば、鞠佳は抵抗するかもしれない。けれど、最終的には絢を受け入れてくれるだろう。

ぞんぶんに絢に調教されて、たっぷりときもちよさを教え込まれた鞠佳は、すでにストッパーを完全に失ってしまっている。

押せば百パーイケる絢専属のスーパーチョロい恋人だ。なんて子だ！

（だめ、だめだよ。私はいったい、なにを考えているの）

伸ばしかけた手をぐっと引き戻して、絢は目を伏せた。

「？」と鞠佳がかわいらしく小首を傾《かし》げる。細い髪の毛がまるで猫じゃらしのように揺れた。

絢の義憤《ぎふん》が募《つの》る。

（なにそのしぐさ。私を誘っているの？）

――この時点ではそうでもなかった。普段通りの鞠佳に、絢が敏感に反応してしまっているだけだ。この時点では。

それはともかく、心のイライラ（ムラムラではない。断じて違う）を鎮めるために一度深呼吸し、絢は気を取り直す。

（鞠佳には、ぜったいに手を出さない。一週間ぐらい、かんたんだし。私はずっと鞠佳に片思いしてたんだから）

最近、気が緩《ゆる》んでいたのは、鞠佳だけじゃない。絢だって鞠佳を目の前にすれば、スーパーチョロくなっていた。鞠佳の望むことはなんだって叶《かな》えてあげて、甘やかしてあげたいだなんて、思ってしまうのだから。

このままじゃ、もし鞠佳と[redacted]れることになったときだって、困るはずだ。

（私と違って、鞠佳はちゃんと自分をもっているんだし）

一緒にバーでアルバイトをしようと誘ったときにも、鞠佳はなんだかんだ自分でアルバイトを見つけてきた。

（……別に、私はいつも一緒でもよかったけど。鞠佳が、なんでも一緒はいやがるっていうんだったら）

鞠佳の助けにはなりたいが、彼女の重荷や負担になるのは、絶対に嫌だ。

(ちゃんと私も、自分の欲望をコントロールしなきゃ)

鞠佳が求めているのは、メリハリなのだ。

たくさんの仮面を使い分ける鞠佳は、触られてもいいとき、ダメなとき、ベタベタと甘えたいとき、あるいは自分ひとりの力で物事を解決したいときなど、そのつどにキャラクターを変えてゆく。

それが鞠佳の言う『空気を読む』という行いのひとつだと、絢はもう知っている。

(気まぐれなネコちゃんなんだから)

愛し合っていた恋人が、生活習慣や距離感の違いによって、同棲した途端に別れることになるなんてよく聞く話だ。

(私は不器用だから、しっかりと空気を読んで、鞠佳のペースに合わせないと)

案外、鞠佳に手を出す暇《ひま》なんてないほど、振り回されてしまうかもしれない。

そう、絢はこの時点では珍しく楽観的に考えていた。

実際、初日はかなりいい感じだった。

食事と寝る場所の相談を終えた後、ふたりでリビングにお布団《ふとん》を運んできて。絢は鞠佳に、泊まりに来ようと決めた経緯《いきさつ》を、ちゃんと伝えることができた。

鞠佳の涙を止めたかった。その言葉で、鞠佳はひどく感動してくれたようだ。

鞠佳を守る。鞠佳の体をきれいなままでお母さまにお返しする。そう伝えると、鞠佳もちゃんと絢の気持ちを受け入れてくれたようだ。

これで、だいぶ気が楽になった。

絢がそうするように、鞠佳だって絢の気持ちを尊重してくれている。ふたりの心は通じ合っていた。（勘違いだった）

これであとは一週間、お互いパーソナルスペースを守って慎《つつ》ましく暮らすだけだ。

絢はまるで一仕事終えたような気分で、スマホに目を落とす。いろいろあって、きょうはまだアプリゲームのスタミナを消費できていなかった。

ぽちぽちと起動して、さあデイリークエストでも消化しようか――と思った次の瞬間だった。

「そ、そろそろお風呂《ふろ》入らなきゃ」

ぴたり、と絢の手が止まる。

食事を終えた鞠佳が、もじもじと体の前で手を組み合わせる。

「……ど、どうする？」

学校ではハツラツと明るい鞠佳が、自分以外には誰《だれ》にも見せることのないとろけた顔で、甘え声をあげてきた。

（…………鞠佳？）

これは、さすがに。

お客さんに『すみません』と声をかけられないと、水を注《つ》ぎにいくタイミングもわからなかった気の利《き》かない絢だって、気づく。

完全に誘惑されている――。

どうする？　の後に続く言葉は『一緒にはいろ♡』以外にありえないような、上目遣《うわめづか》いであった。絢の全身が熱くなってくる。

（あれ……なんでこうなるの？）

ぼんやりと鞠佳を見やると、彼女はパッと表情を変えて、額に汗をかきながら「あたしから入っていい？　入っちゃうね！」と早口で告げてきた。

まるで脱兎のように部屋を出てゆく鞠佳を見送り、絢は思わずうなる。

（……もしかして、鞠佳に伝わってなかった？）

絢は今回、そういうつもりで来たわけではない、と。

あるいは、伝わってなお、鞠佳が絢とイチャつきたいと思っているのだったら。

（それは嬉《うれ》しいけど……でも、いや……こまる）

可能性はまだあった。

（鞠佳はふつうにしているんだけど、あらゆる言動がえっちで、無意識にフェロモンを振りまいてる）

そんなの。

（女の子専門の、サキュバスでしょ……）

だとしたら厄介《やっかい》すぎる。絢に勝ち目はない。とりあえず第三の可能性は削除しておいた。

鞠佳の去ったリビングに、遠くからシャワーの水音が響いてくる。

（……）

もわもわ、と。よからぬ考えが浮かんでくる。

百日間かけて鞠佳を落としていた頃は、行為の後にふたりでシャワーを浴びるのが日課だった。渋る鞠佳を先に入らせてから浴室に乱入し、お風呂場で二回戦へともつれ込んだものだ。

条件反射のように立ち上がりかけて、絢は座り直す。

いやいや、待て待て。

鞠佳の存在を脳から追い出すために、絢はアプリの音ゲーに没頭することにした。

最高難易度の曲に挑む。

指を動かして、音符《ノーツ》を追っている間はなにも考える必要がない。まさか音ゲーにこんな有効利用法があるとは。

20分、30分……しばらく経って、鞠佳がお風呂からあがってきた。脳内鞠佳はともかく、さすがに実存鞠佳をスルーできるほどの効果はなく、絢は音ゲーを諦《あきら》めて顔をあげた。

ほかほかと湯気を立ち上らせながら、パジャマ姿の鞠佳が姿を見せる。

「ごめん、ちょっと長湯しちゃった」

「ううん」

一緒に温泉にもホテルにも泊まった身だ。今さらパジャマ姿を見たところで、という気持ちだったのだけど、そこはさすがの鞠佳。ふかふかの生地に包まれた鞠佳は、普段よりも七割増しで女の子っぽさにあふれていた。

（注文の多い料理店……。準備万端の、鞠佳）

その媚肉《びにく》は、さぞかし柔らかいだろう。

邪念《じゃねん》に慌てて蓋《ふた》をする。

「じゃあ、お風呂もらうね」

「いってらっしゃーい」

なるべく鞠佳を視界にいれないようにしつつ……。絢もまた、浴室へと向かう。

服を脱いで、温かな浴槽《よくそう》へ。

足を軽く入れたところで、これが鞠佳の入った残り湯だと気づく。

（………）

別段、どうということもない。

絢が興味をもつのはいつだって人自身であり、周辺部分に関して意味を見出すことはない。

鞠佳が入ろうと入るまいと、それはただのお湯だ。

しかし、浴槽に立ち込めるソープの香りが、すべて鞠佳の漂わせる匂《にお》いとまったく同じだったりした場合、少し話は違ってくる。

精霊のように形のない鞠佳に全身をくまなく抱きしめられているような感覚。

桃源郷かな？　それとも生き地獄かな？

絢は無言でお風呂の栓《せん》を抜いた。

シャワーで髪と体を洗い流し、さっさと浴室を出る。

（ここは……鞠佳の、おうちなんだ）

改めて実感する。自分は鞠佳しかいない鞠佳の家に、泊まりに来ているのだと。

完全にアウェイ。まるで敵地だ。

寝巻に着替えてリビングに戻ると、鞠佳がそわそわしながら待っていた。化粧水を塗っている間も、ちらっちらっ、という視線を感じる。

恥《は》ずかしがり屋の鞠佳は決して自分から口に出してはこないけれど、鞠佳は全身で『あたしは準備おっけーだよ……♡』とアピールしていて、絢は小さな女の子に、くい、くい、と袖《そで》を引っ張られているような気分になった。

（生き地獄のほうだった）

何気ない世間話をしている間も、絢の視線が泳ぐ。鞠佳のうなじやふともも、無防備な胸元《むなもと》へと吸い込まれてしまいそうになる。

（カリギュラ効果）

内心つぶやく。行為を禁止されると、余計に禁止されているその行為をしたくなってしまう心理的効果である。今の絢は自らに呪《のろ》いをかけたも同然だった。

もし仮に、絢が軽い気持ちで泊まりにきていたら？　そうすれば、きっとある程度は余裕を保っていられただろう。鞠佳を指先で操《あやつ》るみたいに、欲望をコントロールできたはずだ。できたかな？　まあ、たぶんできた。

「……そろそろベッド、いく？」

本日最後の克己心を振り絞って、絢は鞠佳を部屋へと護送する。

「それじゃあおやすみ、鞠佳」

「——⁉」

呆気《あっけ》にとられた鞠佳を閉じ込めるみたいに、バタンとドアを閉めて、大きく息をついた。

（こんなのを、一週間も？）

ひとりきりのリビングに戻って、絢は毛布に倒れ込む。

「試されている……。私の、これまでを……」

もふもふのかわいらしい仔猫が、にゃあにゃあ鳴きながら自分にずっと付きまとってくるのに、こちらからは指一本も触れられないような状況。

（拷問《ごうもん》だ）

片想い期間は、どんなに手を伸ばしても触れられなかったから、最初から諦めていられた。

今はもう違う。自分たちは愛し合っている。

それなのに、ドアを隔てたお互いは遠く、独《ひと》り身はこんなにも寂《さび》しい。

まあ、でも。

「……任せてください、お母さま。私は、鞠佳を守りますから……」

クリスマス、一緒にいられないと悲しんでいた鞠佳の涙を止めるために、ずいぶんと格好をつけてしまった。その代償だとしたら、甘んじて受け入れるべきだろう。

きっと、鞠佳もわかってくれるはずだ。

「……愛してるよ、鞠佳」

小さくつぶやいて、絢は目を閉じた。

しばらくの間、寝付けずにいたけれど、それもまた悪くはない時間だった。

こうして、初日は穏やかに過ぎてゆく。初日だけは、穏やかに過ぎていった……。

＊＊＊

鞠佳から合鍵《あいかぎ》を預けられた絢はひとり、鞠佳の家に帰ってきた。

「……おじゃまします」

両手に下げたビニール袋を玄関に降ろし、もたもたと靴を脱ぐ。

かがんで、鞠佳やその家族の靴の隣に自分の靴を並べると、なぜだか頬が熱くなってきた。

「……ヘンなの」

己《おのれ》の心を深く掘るなんて余計な真似《まね》はせず、絢はリビングへと向かう。

ダイニングにビニール袋を置いて、「しつれいします」と一言断ってから冷蔵庫を開き、買ってきた食材を詰め込んでゆく。

制服を着替えてから、髪を後ろに縛った絢は、再びキッチンに戻ってきた。

家から持ってきたエプロンをつけて、準備万端。

「さて」

きょうは鞠佳がファミレスバイトなので、絢が夕食当番を買って出た。メニューは迷ったけれど、鞠佳は寒がりだし、温かいクリームシチューにした。

食器や調理器具は自由に使ってもいいと言われたけれど……さすがに緊張しつつ、調理台の扉を開いてまな板やら鍋《なべ》やらをお借りする。

絢の料理はなんでもレシピ通りだ。書かれている材料を揃《そろ》え、書かれている工程をなぞるだけ。音ゲーのように正確さだけが大事で、そこに創意工夫はない。

ただ、それが楽しくないというわけでもない。

特に今は。

鞠佳が喜んでくれるだろうかと思いながら手を動かすのは、悪くない気分だった。

クリームシチューと付け合わせのポテトサラダを作って、洗い物を済ませる。

時間の余った絢は、さらに家事を手伝うことにした。

洗濯物は毎日溜《た》まってゆくわけで。絢も榊原家《さかきばらけ》の洗濯機を借りるのだから、自分が率先して手を動かすべきだろう。

全自動洗濯機に液体洗剤を投入し、スイッチを押す。うっかり鞠佳の使用済み下着に手を伸ばすような、ヘンタイじみた真似は決してしないのである。

「あとは、軽く掃除機でも」

絢は、部屋の掃除だけはマメにするタイプだった。

もとから視界がごちゃっとしていると気になってしまう性格だったのだけれど、その傾向が加速したのは、鞠佳を部屋に招き入れるようになってからだ。

仕方ない。いちいちフローリングに落ちている髪の毛に気を取られていては、勉強にも集中できなくなってしまう。なので、特に行為の後は、念入りに掃除機をかけるようにしている。

リビングに掃除機をかけた絢は、そのまま廊下にもコードを延ばす。

玄関から、浴室やトイレまで掃除を終えて、ふと気づく。

鞠佳の部屋が、半開きになっていた。

別に、どうってことはない。

「……」

一度通り過ぎた後で、絢は再びドアの前に戻ってくる。指先でドアを押して、部屋の中を覗《のぞ》き見る。

鞠佳の部屋だ。

掃除機を廊下に立てかける。『これぐらいならいいか』という悪戯心《いたずらごころ》に背中を押されて、絢は恐る恐る足を踏み入れた。

あまり中を見回すのも品がよくないと思って、絢は鞠佳のベッドにちょこんと腰を掛けた。

「……鞠佳の部屋」

家主のいない間に立ち入る背徳感に、胸がドキドキしてくる。

正直に言えば、飢えていたのだろう。だからこれは、ただの気晴らしだ。一週間、自分が耐え忍ぶために必要な、小休憩だ。

こてん、と横に倒れる。

鞠佳のベッドに横になって、目を閉じる。

「まりか」

気持ちがあふれだして、たまらなくなってしまう。

手は出さない。確かにそう誓った。

だったら、これは？

セーフに決まってる。ただの妄想なんだから。

手を伸ばして、枕《まくら》を摑《つか》む。ぎゅっと枕を抱きしめながら、絢は愛しい恋人の姿を夢想した。

「……まりか」

鼻先を枕に押しつけて、すん、と息を吸い込む。

「ん……」

切なさがこみあげてきて、絢はふとももをすり合わせる。

下着の中へと手が伸びてゆく。

これは、そう。ただの、衝動を発散するだけの行為。

恋人のベッドの上でそれをするっていうのは、さすがに罪悪感に襲われるようなかなりヘンタイっぽいかもしれないけれど。

「まりか……ぁ」

かすれた声を漏《も》らすと、誰《だれ》かに聞かれるのではないかとさらに興奮が高まった。

今ここに鞠佳が帰ってきて、ベッドの上で自慰に耽《ふけ》る自分を見たら、彼女はどんな顔をするだろうか。軽蔑《けいべつ》するような目で見下ろしてきて、信じられないとわめくだろうか。

裏切られて、傷ついた鞠佳の顔を想像すると、さらに体温が増した気がした。

これが倒錯的な嗜好だとはわかっている。

鞠佳のことが大切で、彼女にはずっと幸せでいてほしいと願う反面、時々どうしようもなく鞠佳を傷つけてしまいたくなる。

他の誰にも傷つけられてほしくない。自分だけに傷つけられてほしい。笑顔や恥ずかしがる顔だけじゃなくて、怒った顔も泣き顔も、すべて自分だけに見せてほしい。

「……ごめんね、まりか」

さらに妄想が独り歩きする。

帰ってきた鞠佳が『こんな人だと思わなかった。最低』と罵《ののし》りながら、自分を組み伏してくる。いつもと違ってぜんぜん力が出なくて、絢は鞠佳に言葉で責められ続ける。下の方を触られて、こんなになっているなんて、ありえない。最悪、最悪、と強く睨《にら》みつけられる。

傷つけられた鞠佳は、その分だけ絢を責め立てる。普段のイニシアチブはすっかり逆転し、絢はただ、されるがまま。潤んだ瞳で鞠佳を見上げても、彼女は決して許してくれない。ありえない、ありえない、と乱暴な独りよがりの指先が、絢の奥へと深く突き刺さり、ぐっと息が詰まる。

「まりか……まりかぁ……っ」

どこまでも都合のいい幻像は、絢を丸裸にして、その身体を徹底的に辱《はずかし》めてくる。最愛の女性から叩《たた》きつけられる歪《ゆが》んだ淫欲に、絢は必死に許しを請う。

「だめ、だめだよ、まりか……だめ、だめっ……」

激しくなる指の動きとともに、絢の声はどんどんと切羽詰《せっぱ》まってきて。

そして。

「――――っ」

鞠佳の『イけっ！』という冷たい命令とともに、

絢の頭は真っ白になってしまった。

後に残るのは、ふぅ、ふぅ、という荒い息遣い。そして、ひどく冷静な反面、靄《もや》のかかった思考。

徐々に、ふわふわと浮かんでいた気持ちが、現実へと帰ってくる。

絢は、強く抱きしめていた鞠佳の枕を手放した。

ぽつりとうめく。

「……たまには、こういうのも、いいかな……」

もし実際に鞠佳に責められることになれば、きっと、恥ずかしくてどうしようもなくなってしまうだろうが……。

絢はそのまましばらく、鞠佳のベッドでごろごろしていた。

スマホにメッセージが届く。鞠佳のアルバイトが終わったようだ。ボディーガードの本分を思い出して、絢は起き上がる。

「鞠佳に、今、鞠佳のベッドでひとりでしてたよって言ったら、どういう顔するのかな……」

ささやかな嫌がらせを思いつき、だめだめ、と首を振る。実際の鞠佳はそう言ったところで、絢を責め立ててはくれない。せいぜい、ドン引きするぐらいだ。

ただ……その、ドン引きした鞠佳の顔も魅力的だから、彼女はタチが悪いのだけれども。


駅まで鞠佳を迎えにいってから、ふたりで仲良く夕食を食べた。

問題は、その後だった。

鞠佳の叔母さんが尋ねてきたことで、絢の心はさらに頑《かたく》なとなった。しかし、どうも鞠佳はそれがお気に召さなかったみたいで。

もっと直接的に、誘惑してくる始末。

さんざん決意したはずのことだって、あっという間に翻《ひるがえ》されてしまう。

仕方ない。

涙目で『いいから襲えよう！』と迫ってくる最愛の恋人を、いったい誰がはねのけられるというのだ。

さんざん粘ったものの、やっぱり鞠佳には勝てなかった。

手を繋《つな》いで鞠佳の部屋へ一緒に向かいながら、絢は小さくため息をついた。

「え、なに？」

してもらえないんじゃないかと、まだ不安げに振り返ってくる鞠佳に、絢は首を振った。

「ううん」

結局。

自分はいつまで経っても、鞠佳には勝てないんだな、って思い知らされただけだ。

「うちのわがままなお姫様は、かわいいな、って」

「な、なにそれ……。ひとりで勝手に決めてる、絢が悪いんでしょー……」

「そういうことに、しておいてあげようかな」

鞠佳のおしりを撫《な》で上げると、「ひゃっ」と彼女は飛び上がった。

「むぅ……」

突然のイタズラにも、ちょっかい出してもらえること自体は嬉しいのか、鞠佳は複雑そうな顔で頬を膨らませる。

「……でも、ありがと、絢」

さらに大きなため息が出た。

「なに⁉」

「鞠佳って」

少し間を置いて、絢は最大限に鞠佳を傷つける言葉を探し当てる。彼女の耳元に唇を近づけて、囁《ささや》いた。

「ほんっとに、えっち」

「っ」

鞠佳は顔を真《ま》っ赤《か》にして、叫ぶ。

「しかたないでしょー！」

すっかり搦《から》め捕《と》られているのは、自分のほうだ。

絢は天性のサキュバスを目覚《めざ》めさせてしまった罪を自覚しながら、今度は待ちきれないとばかりに強く鞠佳の手を引いた。

主張を曲げさせられた分の悔《くや》しさは、せめてその身体でたっぷりと清算してもらわなければならない。

「あたしをこんな風にしたのは……絢なんだから」

「そうだったね、お姫様」

鞠佳の部屋のドアを開く。

絢の敗北とともに――ふたりの少女たちの、愛と悦《よろこ》びにあふれた一週間が、新たに始まろうとしていた。

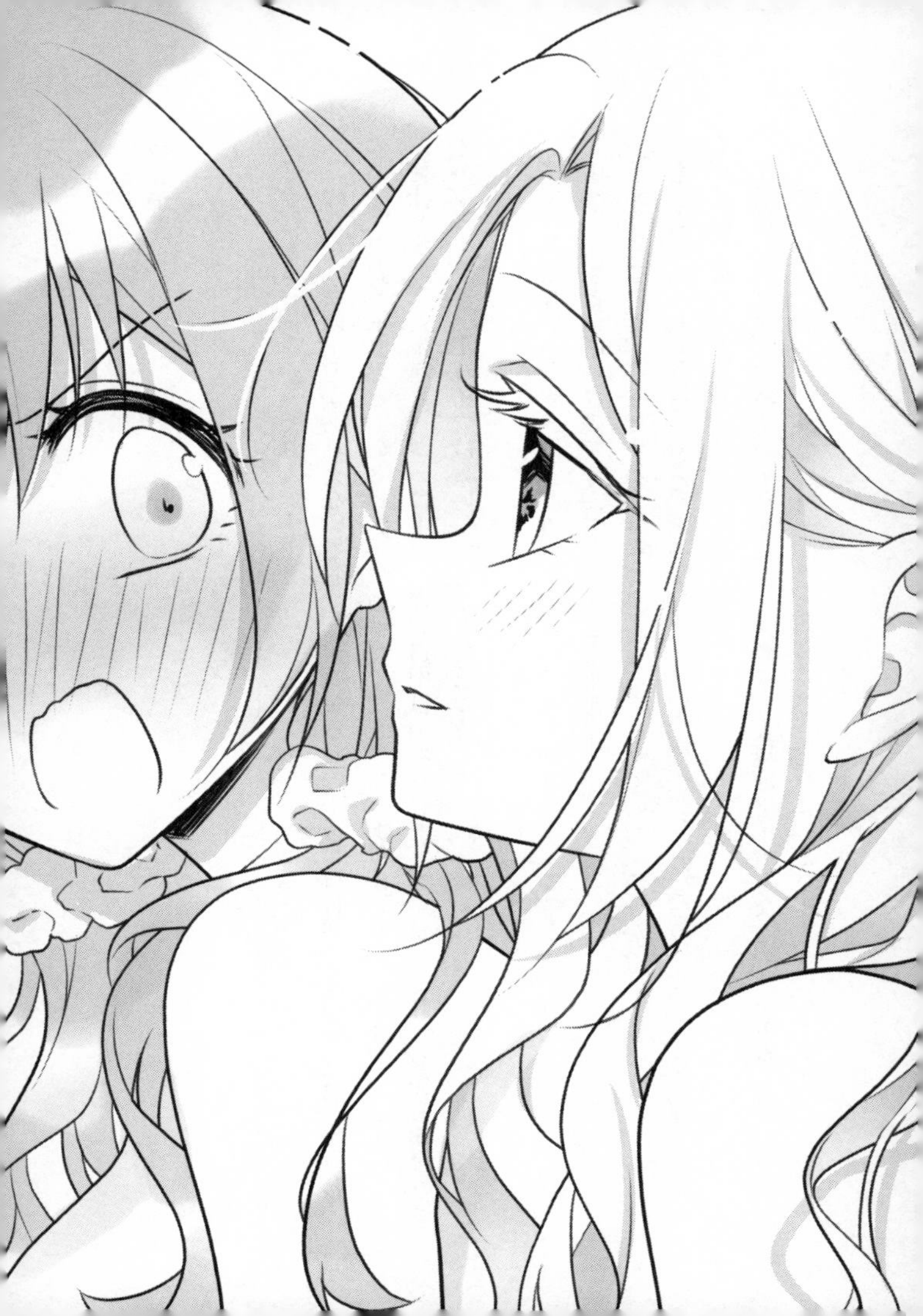

あとがき

ごきげんよう、みかみてれんです。

このたび『女同士とかありえないでしょと言い張る女の子を、百日間で徹底的に落とす百合のお話』こと『**ありおと**』の3巻を手に取ってくださって、ありがとうございます。

鞠佳《まりか》と絢《あや》の恋人生活も、ついに半年。恋の道中は山あり谷ありですが、これから先もふたりのハッピーラヴァーライフは続いていくことでしょう。

さて、最近短いあとがきばかり書いているので『今回4ページで』と言われてしまい、どうしようかな、と台所の片隅で佇《たたず》んでいるところなんですが。（寒い）

せっかくなので、そうですね。3巻の裏話などをさせていただこうかと。

もともとありおとはコミケなどの同人誌でわたしが頒布《はんぷ》していたものを、ＧＡ文庫さんに拾っていただいた作品です。

商業化にあたって、いくつかセンシティブすぎる表現はマイルドなものに変更をしていったんですが……。そこで、わたしが一番懸念《けねん》を抱いていたのが、この3巻でした。

3巻の内容、ちょっとセンシティブがすぎないか……？

しかも、この本には、当時コミケで会場限定本として頒布していた『ありおと　R18版』の内容もぜんぶ完璧に含まれています。

1巻や2巻を遥《はる》かに超えるセンシティブっぷり。

……ほんとに商業で、出せるのかな？

出せました。

担当さんがほうぼうに駆けずり回ってくださったおかげです。まじでありがたい。

（急にマジメな顔をして）ありおとのお話は、体と心が密接に関わっているストーリーです。体の痛みが、心の恐怖を呼び起こすように。体の心地《ここち》よさが、心の恋を歌うように。どちらが欠けても、このお話は成立しないようになっています。

その辺りをキチンと理解してくださった方々に書籍化を担当していただいて、わたしはとても運がよかったと思います。

わたしは傾向《けいこう》として、ガールズラブコメ作品を作る際に、割とセンシティブな内容をぶっこむタイプのガルコメ作家です。

ダッシュエックス文庫さんのほうで続いている別シリーズ『**わたなれ**』なども、キスやお風呂《ふろ》シーンを意識して配置しております。

もちろんわたし自身が心と体のお話が好きというのもあるんですが。

いちばんの理由は『**それがまだまだラノベに少ないから**』です。

わたしはありとあらゆる面白《おもしろ》い百合《ゆり》、ガルコメを読みたいという願望をもって生きています。


(強欲の化身《けしん》)


殺伐《さつばつ》とした物語も、ライバル同士の百合も、友達同士が近い距離感でイチャイチャするようなお話も、ぜんぶ、ぜんぶが好きです。がちで好きです。

ただ、その中でも恋人同士のガルコメはまだまだ数が少ないです。(そもそもラノベの設定として付き合った以降の物語自体が少ないんだけども)なので、書くしかないんですよ。

わたしが読むためには、わたしが書くしかないんですよ!(自給自足!)

いつか『もう、わたしが書く必要がないんだな……』と思えるほどに、たくさんのガルコメで市場があふれたときに、わたしの活動は終わるのかもしれません。(頼む)(あるいは、創作意欲がすごい刺激されてめちゃくちゃガルコメを書きまくるのかもしれません)

と、素敵《すてき》な未来に思いを馳《は》せながら、わたしも温かな自室へと戻ってくるのでした。


それでは謝辞《しゃじ》です。

今回も快くイラストを引き受けてくださった雪子《ゆきこ》さん、誠にありがとうございます。表紙の冬服鞠佳と絢、すっごいかわいい……。ねえみんな口絵見た!? 今回もやばない!? は〜〜〜

好き！　これが２０２１年のガルコメじゃい～～～！

また、担当のねこぴょんさん、さらにこの本を作るために関わってくださった多くの方々、心からありがとうございます。４巻もなかなかにセンシティブなので、またよろしくお願いいたします！（頼り切り）

そしてなによりも、この本をお手にとってくださった方や、この本を売るためにがんばってくださった書店員の方々に、大きな感謝を。

２０２０年はガルコメの種まきの時期でしたが、２０２１年はその花が大きく咲《さ》いて、やがてガルコメというジャンルが当たり前になっていくといいよね！

『マンガＵＰ！』で、かやこ先生の描く『ありおとのコミカライズ』も始まっています。この内容をマンガにして大丈夫なの？　**だめに決まっているじゃないですか！（最高）**

それでは、またどこかでお会いできますように！　みかみてれんでした！

ファンレター、作品の
ご感想をお待ちしています

〈あて先〉

〒105-0001
東京都港区虎ノ門2-2-1
ＳＢクリエイティブ（株）
GA文庫編集部 気付

「みかみてれん先生」係
「雪子先生」係

本書に関するご意見・ご感想は
右の QR コードよりお寄せください。

※アクセスの際や登録時に発生する通信費等はご負担ください。

https://ga.sbcr.jp/

女同士とかありえないでしょと言い張る女の子を、
百日間で徹底的に落とす百合のお話3

発　行　　2021年2月28日　初版第一刷発行
　　　　　2024年1月26日　　　第三刷発行
著　者　　みかみてれん
発行者　　小川　淳

発行所　　SBクリエイティブ株式会社
〒105-0001
東京都港区虎ノ門2-2-1

装　丁　　FILTH

印刷・製本　中央精版印刷株式会社

ISBN978-4-8156-0868-2
Printed in Japan　　　　GA文庫